Español
lengua viva

Libro del alumno

A1-A2

MARCO DE
REFERENCIA
EUROPEO

español
Santillana
Universidad de Salamanca

Autores de la programación: **M.ª Teresa Martín, Loreto Pérez y Javier Ramos**
Relación de autoras: **Aurora Centellas, Dolores Norris y Juana Ruiz**
Asesoría lingüística y metodológica: **Jesús Fernández**

Dirección editorial: **Aurora Martín de Santa Olalla**
Edición: **Susana Gómez y M.ª Antonia Oliva**

Dirección de arte: **José Crespo**

Proyecto gráfico:
      Portada: **Celda y asociados**
      Interiores: **Isabel Beruti**
Ilustración: **Pablo Velarde** y **José María** alera

Jefa de proyecto: **Rosa Marín**
Coordinación de ilustración: **Carlos A**   era
Jefe de desarrollo de proyectos: **Ja**vie   ejeda
Desarrollo gráfico: **Raúl de Andrés** y **José Lu**i   arr

Dirección técnica: **Ángel García Encinar**

Coordinación técnica: **Fernando Carmona**
Confección y montaje: **Marisa Valbuena y Fernando Calonge**
Cartografía: **José Luis Gil**
Corrección: **Gerardo Z. García y Pilar Pérez**
Documentación y selección de fotografías: **Mercedes Barcenilla**

Fotografías: A. Toril; A. Viñas; Algar; Arved Von Der Ropp; C. Rubio; F. Morera; F. Ontañón; F. Orte; G. Aldana; GARCÍA-PELAYO/
Juancho/CENTRO COMERCIAL SUPERDIPLO; GOYENECHEA; I. Codina; I. Rovira; J. C. Muñoz; J. Escandell/Artllum.com; J. Hernández;
J. Jaime; J. Lucas; J. M. Gil-Carles; J. M.ª Escudero; J. Soler; J. V. Resino; KAIBIDE DE CARLOS FOTÓGRAFOS/COMUNIDAD DE MADRID;
Krauel; M. Blanco; M. G. Vicente; M. Moreno; O. Daidola; ORONOZ; P. Esgueva; P. López; Prats i Camps/Centro Comercial Espai Campanar,
IES Carrús. Elche, Alicante; R. Manent; S. Cid; S. Enríquez; S. Padura; S. Yaniz; V. Domènech; X. S. Lobato; A. G. E. FOTOSTOCK/
Photolibrary.com, Picture Finders, Gary A. Conner, Stefano Oppo, J. D. Heaton, James McLoughlin, SuperStock, Rick Gómez; AGENCIA
ESTUDIO SAN SIMÓN/A. Prieto; ARCHIVO SAHATS/Domench-Azpilicueta; COMSTOCK; COVER/SYGMA; COVER/SYGMA/S. Dorantes;
COVER/CORBIS/Ariel Skelley, Ramin Talaie, Franco Vogt, Rafael Roa, Yang Liu, Ed Bock, FoodPix, Jon Feingersh, Orange County
Register/Michael Goulding, Zefa/Sandra Seckinger, Massimo Listri, Hubert Stadler, EPA/Toni Albir; DIGITALVISION; EFE/Olga Labrador;
EFE/J. L. Cereijido, M. Rajmil; EFE/SIPA-PRESS/David Niviere, Frédéric Nebinger, P. Fuzeau, PRESSENS BILD/SIPA/Kary H. Lash, Quinn;
EUROPA PRESS REPORTAJES; FOTOGRAFÍA F3; GETTY IMAGES/Lonely Planet Images/Greg Elms; HIGHRES PRESS STOCK/
AbleStock.com; I. Preysler; IBIZA FOTOESTUDIO/R. Martínez; J. M.ª Barres; JOHN FOXX IMAGES; MARGEN FOTOGRAFÍA; MELBA
AGENCY; MUSEUM ICONOGRAFÍA/J. Martin; PAISAJES ESPAÑOLES; PHOTOALTO; PHOTODISC; STOCKBYTE; STUDIO TEMPO/
J. Sánchez; Ana M.ª Guerra; ARCHIVO FOTOGRÁFICO RESIDENCIA DE ESTUDIANTES; ARCO; BIBLIOTECA PÚBLICA PEDRO SALINAS,
MADRID; Cafetería Alverán, Boadilla del Monte; CENTRO COMERCIAL EROSKI; CREATIVE LABS; FUNDACIÓN SANTILLANA; GALERÍA
DE ARTE, GLASGOW; J. E. Casariego; J. Gómez; L. Vaamonde; M. Santos; MATTON-BILD; MINISTERIO DE ECONOMÍA Y HACIENDA;
MUSEO DEL ORO DE BOGOTÁ, COLOMBIA; MUSEO ESPAÑOL DE ARTE CONTEMPORÁNEO, MADRID; MUSEO HISTÓRICO CASA
DE SUCRE, QUITO; MUSEO NACIONAL CENTRO DE ARTE REINA SOFÍA; PHILIPS; PIAGET; ROBERTO VERINO; SERIDEC
PHOTOIMAGENES CD/PHOTOALTO; TEATRO MUSEO DALÍ, FIGUERAS; ARCHIVO SANTILLANA

Grabaciones: **Textodirecto**
Música: **Paco Arribas Producciones Musicales**

Agradecimientos: A los profesores, alumnos y personal de administración y servicios de los Cursos
Internacionales de la Universidad de Salamanca y a la cafetería Alverán (Boadilla del Monte, Madrid).

Santillana agradece a los autores citados en este libro la oportunidad que sus textos nos han brindado
para ejemplificar el uso de nuestra lengua. Los materiales de terceras personas han sido siempre
utilizados por Santillana con una intención educativa y en la medida estrictamente indispensable para
cumplir con esa finalidad, de manera que no se perjudique la explotación normal de las obras.

© 2007 by Santillana Educación, S. L.
Torrelaguna, 60. 28043 Madrid
En coedición con Ediciones de la Universidad de Salamanca
PRINTED IN SPAIN
Impreso en España por
Gráfica Internacional Madrid, S.A.
Sierra de Albarracín, 2 - 28946 Fuenlabrada - Madrid

ISBN: 978-84-9345-372-5
CP: 840081
Depósito legal: M-9187-2009

Presentación

Español lengua viva 1 es un manual de español lengua extranjera destinado a **estudiantes jóvenes y adultos**. Recoge contenidos de los niveles A1 y A2 del *Plan curricular del Instituto Cervantes: niveles de referencia para el español* y cubre unas 120-150 horas de clase.

Sigue las orientaciones del **Marco común europeo de referencia** en su concepción del alumno como agente social capaz de ejecutar tareas propias de un usuario básico que requieran el uso de la lengua española.

Partiendo de esta base, se plantea como objetivo la adquisición de la competencia comunicativa ligada a unos contenidos culturales y socioculturales que tienen como referente todo el ámbito hispanohablante y al desarrollo de estrategias de aprendizaje y comunicación.

A partir de estas consideraciones, ha sido también nuestro objetivo hacer un manual **fácil de usar**, que se adapta a diferentes tipos de alumnos, necesidades y contextos de aprendizaje.

Este primer nivel está dividido en cuatro bloques de tres o cuatro unidades. Cada bloque termina con un proyecto en el que se repasan los contenidos adquiridos. Este repaso supondrá la realización de una actividad en común que, en muchos casos, tendrá como objetivo final la elaboración de un producto.

Las unidades comienzan con una **portada** en la que se anuncian los contenidos que se van a tratar. A lo largo de las diez páginas que componen una unidad, se utilizan dos elementos gráficos principales: el primero son los **iconos** que preceden a los enunciados e indican el objetivo principal de la actividad: lo que se va a hacer –en términos de actividades de la lengua– y/o el tipo de competencia que se va a desarrollar –en términos de competencias generales y competencias comunicativas de la lengua.

Actividades de la lengua:

- expresión oral BLA,
- expresión escrita ◁,
- comprensión auditiva 14,
- comprensión de lectura 📖,
- e interacción oral BLA BLA BLA.

Competencias generales:

- el conocimiento cultural y sociocultural y la consciencia intercultural Cs,
- y la capacidad de aprender E.

Competencias comunicativas:

- funcional y discursiva C,
- gramatical G,
- léxica y semántica V,
- fonológica P,
- y ortográfica O.

El segundo elemento gráfico son los **cuadros** que recogen de forma esquemática los contenidos tratados y proporcionan una ayuda para la realización de las actividades.

COMUNICACIÓN C

Preguntar y decir el estado civil

- ◆ *¿Estás casado?*
- ◆ *No, estoy soltero.*

GRAMÁTICA G

Artículo definido
(*el, la, los, las*)

- ◆ *Marina es la hermana de Felipe. (Marina no tiene más hermanos).*

VOCABULARIO V

La familia

padre, madre	primo/a
hijo/a	marido, mujer
abuelo/a	suegro/a

ESTRATEGIAS E

En español, hay una correspondencia casi total entre la pronunciación y la escritura. Observa e imita cómo pronuncia tu profesor las palabras, cómo pone los labios, la lengua…

Finalmente, cada unidad termina con un **resumen** de los contenidos comunicativos, gramaticales y léxicos trabajados. Estos contenidos se presentan de manera ampliada en el material complementario *Gramática y recursos comunicativos (A1-A2)*.

COMUNICACIÓN	GRAMÁTICA	VOCABULARIO	CULTURA Y SOCIOCULTURA	TEXTOS

Expresar necesidad Preguntar y responder sobre el horario de los establecimientos públicos Preguntar por la causa de algo y responder Pedir un producto Llamar la atención del interlocutor Preguntar y responder sobre el precio de un producto Expresar gustos y preferencias y expresar acuerdo o desacuerdo en los gustos	Los pronombres de objeto directo: *lo, la, los, las* Posición de los pronombres de objeto directo Preposiciones: *de/a* Presente de indicativo: *preferir, querer, costar, gustar* Artículo definido (*el, la, los, las*) + adjetivo Interrogativos: *qué, cuánto*	Departamentos de un gran almacén Los números del 100 al 1000 Los colores Las prendas de vestir y su descripción Las compras	Tipos de establecimientos comerciales de España e Hispanoamérica Las tallas y unidades de medida	Conversaciones cara a cara Carteles con horarios comerciales Directorio de un gran almacén

Preguntar y responder sobre gustos Pedir y dar información sobre hábitos Hacer una propuesta, rechazarla y proponer una alternativa o aceptarla y quedar Pedir y dar información acerca de los ingredientes de un plato Pedir algo en un bar o restaurante Pedir la cuenta Preguntar por el estado de salud y hablar de síntomas y enfermedades Hacer recomendaciones	Presente de indicativo: *encantar, doler, apetecer, encontrarse* *Muy/mucho* Perífrasis verbales: *hay que* + infinitivo, *tener que* + infinitivo, *deber* + infinitivo Oraciones condicionales: *si* + presente, presente Interrogativos: *qué, cuántos/as, cómo, cuándo, dónde*	Alimentos y bebidas Las comidas Adverbios de cantidad Las partes del cuerpo Síntomas, enfermedades y remedios Medidas y cantidades La mesa y los cubiertos	La gastronomía española e hispanoamericana Algunos gestos y expresiones relacionados con la alimentación	Conversaciones cara a cara Textos informativos Programas radiofónicos Cuestionario de salud Receta de cocina

Describir un objeto Hacer una afirmación señalando cierto grado de duda Dar información sobre la utilidad de un objeto Preguntar por la elección de un objeto Valorar un objeto Poner un ejemplo Dar instrucciones Describir las habitaciones de una casa	Demostrativos: *este, esta, esto, ese, esa, eso, aquel, aquella, aquello…* Pronombres posesivos: *mío/a, míos/as, tuyo/a…* Interrogativos: *qué, cuál/es* *Hay/está(n)*	Objetos de uso cotidiano Los electrodomésticos Las habitaciones de la casa y los muebles Actividades relacionadas con los objetos y aparatos Adverbios y expresiones de lugar	La artesanía española e hispanoamericana Los tipos de vivienda	Conversaciones cara a cara Instrucciones de un aparato Textos informativos

Describir una ciudad Hablar del tiempo atmosférico Hablar de acciones en desarrollo Comparar Expresar una opinión, razonarla y preguntar si se está de acuerdo o no con ella Expresar acuerdo o desacuerdo con una declaración Pedir y dar instrucciones para ir a un lugar	Los indefinidos: *algún, alguno, alguna, algunos, algunas, ningún, ninguno, ninguna* Perífrasis verbales: *estar* + gerundio El gerundio El imperativo Posición de los pronombres personales átonos con las formas de imperativo Presente de indicativo: *venir, volver*	Los servicios de la ciudad Los números del 1000 en adelante Las estaciones del año El tiempo atmosférico Las distancias	Ciudades y medios de transporte	Folletos turísticos Informaciones meteorológicas Conversaciones cara a cara para pedir direcciones Canción

En esta unidad vas a aprender:

- A presentarte

- A dar información personal: de dónde eres, dónde vives y qué idiomas hablas

- El alfabeto y los sonidos del español

- A decir para qué aprendes español

- Dónde se habla español y el origen de algunas palabras del español

- El nombre de los objetos que hay en una clase

- A saludar y despedirte

- A reconocer algunos gestos del español

COMUNICACIÓN	GRAMÁTICA	VOCABULARIO	CULTURA Y SOCIOCULTURA	TEXTOS
Pedir y dar algunos datos personales	Presente de indicativo: *llamarse, ser, vivir, hablar, aprender, escribir*	Los países y las nacionalidades	Países en los que se habla español	Conversaciones cara a cara
Preguntar cómo se escribe una palabra, cómo se dice algo o cómo se llama en español y el significado de una palabra	Interrogativos: *cómo, dónde, qué*	El alfabeto	El origen de algunas palabras del español	Textos enciclopédicos
	Construcción impersonal con *se*	Las lenguas	Algunos gestos	Definiciones de diccionario
Generalizar	Preposiciones: *para, en*	El material escolar		
Preguntar y expresar la finalidad de algo	El adjetivo calificativo: género y número	Los saludos y las despedidas		
Expresar existencia	El artículo definido: *el, la, los, las*			
Expresar desconocimiento	El artículo indefinido: *un, una, unos, unas*			

1. Presentarse

a. 🔘 Escucha cómo se presenta tu profesor y responde a estas preguntas.

- ¿De dónde es?
- ¿Cómo se llama?
- ¿Dónde vive?

GRAMÁTICA · G

Presente de indicativo

	Llamarse
(yo)	me llamo
(tú)	te llamas
(él, ella)	se llama

	Ser
(yo)	soy
(tú)	eres
(él, ella)	es

	Vivir
(yo)	vivo
(tú)	vives
(él, ella)	vive

VOCABULARIO · V

Países y nacionalidades

País	🧍	🧍
Alemania	alemán	alemana
Bélgica	belga	
Canadá	canadiense	
China	chino	china
Estados Unidos	estadounidense	
Francia	francés	francesa
Inglaterra	inglés	inglesa
Italia	italiano	italiana
Japón	japonés	japonesa
Marruecos	marroquí	
Portugal	portugués	portuguesa
Rusia	ruso	rusa

b. 🗨 **Preséntate a tus compañeros.**

- ◆ *¡Hola! Me llamo Andrea. Soy italiana y vivo en Pisa.*

c. ⓒ **Fíjate en las fotografías y relaciona cada situación con la presentación adecuada.**

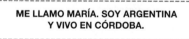

┌─────────────────────────────────────┐
│ **ME LLAMO MARÍA. SOY ARGENTINA**
│ **Y VIVO EN CÓRDOBA.**
└─────────────────────────────────────┘

┌─────────────────────────────────────┐
│ **YO ME LLAMO ANA, ¿Y TÚ?**
└─────────────────────────────────────┘

d. 🗨 Tu profesor va a decir su nombre y va a hacer un gesto, después vosotros en cadena repetís su nombre, su gesto y continuáis el procedimiento: repetís los nombres anteriores y decís el vuestro asociándolo a otro gesto. ¡Así no los olvidaréis!

2. Los sonidos del español

a. ① P Escucha el alfabeto y el nombre de los países. Repítelos en voz alta.

A a (la a)	B b (la be)	C c (la ce)	CH ch (la che)	D d (la de)	E e (la e)	F f (la efe)	G g (la ge)	H h (la hache)	I i (la i)
Alemania	Bélgica	Canadá Suecia	China	Irlanda	Estados Unidos	Francia	Guatemala Níger	Hungría	Italia

J j (la jota)	K k (la ka)	L l (la ele)	LL ll (la elle)	M m (la eme)	N n (la ene)	Ñ ñ (la eñe)	O o (la o)	P p (la pe)	Q q (la cu)
Japón	Kenia	Líbano	Seychelles	Marruecos	Nepal	España	Omán	Polonia	Eslovaquia

R r (la ere o erre)	S s (la ese)	T t (la te)	U u (la u)	V v (la uve)	W w (la uve doble)	X x (la equis)	Y y (la i griega)	Z z (la zeta)
Perú Rumanía	Siria	Turquía	Uganda	Vietnam	Taiwán	Luxemburgo	Yemen Uruguay	Zambia

b. V Intenta completar estos diálogos entre varios estudiantes.

◆ ¡Hola! Me llamo Isabelle y soy f_____.
◆ ¿Isabelle? ¿Cómo se escribe tu nombre?
◆ _____, ese, a, be, _____, elle, e.
¿Y tú? ¿Cómo te llamas?
◆ Yo me llamo Liu Min y soy ch_____.

◆ ¡Hola! Me llamo Stephen y soy i_____.
◆ Yo soy Misako y soy j_____.
◆ ¿Cómo se escribe tu nombre?
◆ Eme, i, _____, a, _____, o.
◆ Gracias.

c. ② Ahora escúchalos y comprueba tus hipótesis.

d. V ¿Qué otras nacionalidades hay en vuestra clase? Haz una lista con tu compañero.

e. BLA BLA BLA Completa esta tabla con los datos de tus compañeros. Pregúntales los que no recuerdes.

NOMBRE	NACIONALIDAD	RESIDENCIA

3. ¿Para qué estudias español?

a.  Observa a estos estudiantes. ¿Para qué crees que estudian español? Relaciona cada foto con una oración.

PARA UTILIZARLO EN MI TRABAJO

PARA CONOCER OTRAS CULTURAS

PARA HABLAR CON MIS AMIGOS

PARA VIAJAR

PARA HACER TURISMO

b. ③ Ahora escucha a los estudiantes y comprueba tus hipótesis.

c. Y tú, ¿para qué aprendes español? Marca las opciones en la lista y añade las que quieras.

Aprendo español…

☐ para hablar con mis amigos
☐ para escribir mensajes de correo electrónico
☐ para trabajar en España o en Hispanoamérica
☐ para entender las películas en español
☐ para escuchar la radio
☐ para buscar información en Internet
☐ para viajar por España e Hispanoamérica
☐ para hablar con la familia de mi pareja
☐ para leer novelas en español
☐ …

d. ⊞ Ahora cuéntaselo a tus compañeros. ¿Cuáles son los tres motivos que predominan en la clase?

◆ *Aprendo español para hablar con mis amigos hispanoamericanos.*

4. ¿Qué idiomas hablas?

a. V Estas son algunas de las lenguas más habladas en el mundo. Marca las que hablas o entiendes. Añade otras, si es necesario.

CHINO	INGLÉS	HINDI/URDU	ESPAÑOL	ÁRABE	PORTUGUÉS
RUSO	BENGALÍ	JAPONÉS	ALEMÁN	FRANCÉS	...

b. BLA BLA BLA Pregunta a tus compañeros qué lenguas hablan. ¿Cuáles son las lenguas más habladas en la clase?

c. BLA BLA BLA Cs ¿Sabes en qué países se hablan las lenguas de la tabla anterior? Coméntalo con tus compañeros.

d. E Usa todas las lenguas que conoces para completar estas palabras en español.

El t...x...

El ae...opuer...o

El t...lé...ono

El ...rua...án

El ...asa...orte

El ho...el

La u...i...er...idad

El ...cei...e

5. El español en el mundo

a. Cs Lee el siguiente texto sobre el español en el mundo y contesta las preguntas. Comenta tus respuestas con tus compañeros.

- ¿En qué continentes se habla español?
- ¿Qué lengua se habla en tu país? ¿Se habla más de una lengua?

www.enciclopedia.es
¿Dónde se habla español?

El español se habla en muchos países. Es lengua oficial en Argentina, Bolivia, Colombia, Costa Rica, Cuba, Chile, Ecuador, España, El Salvador, Guinea Ecuatorial, Guatemala, Honduras, México, Nicaragua, Panamá, Paraguay, Perú, Puerto Rico, República Dominicana, Uruguay y Venezuela. Y se habla, además, en Filipinas y en Estados Unidos, donde hay unos 34 millones de hispanos que hacen del español la segunda lengua de aquel país. Se estima que en la actualidad hay en el mundo unos 400 millones de personas cuya lengua materna es el español.

COMUNICACIÓN C

Preguntar y dar información sobre las lenguas que hablas o estudias

- ¿Qué lenguas hablas?
- Hablo inglés y un poco de francés.
- ¿Qué lenguas estudias?
- Estudio español y alemán.

Generalizar

- El español **se habla** en muchos países.

ESTRATEGIAS E

Fíjate en las conexiones entre el español y otras lenguas:

Español	Inglés
fútbol	football

Español	Francés
carné	carnet

GRAMÁTICA G

El artículo definido

	Masculino	Femenino
Singular	el	la
Plural	los	las

---

6. ¿Qué hay en el aula?

a. V ¿Qué muebles y objetos hay en vuestra aula? Haz una lista con los que sabes cómo se llaman en español.

bolígrafos

goma

diccionario

papel

mesa y silla

póster

televisor

rotuladores

reproductor de DVD

pizarra, borrador y tizas

profesor y compañeros

sacapuntas

ordenador

cuaderno

lápiz

mochila

estuche

papelera

aula

b. V Compara tu lista con la de tu compañero y completa la tuya.

◆ ¿Qué significa corcho?
◆ No lo sé.

c. C Preguntad el nombre de los que no conocéis a vuestros compañeros o a vuestro profesor.

◆ ¿Cómo se llama esto en español?
◆ Estantería.

7. Saludos y despedidas

a. [V] Relaciona cada fotografía con un saludo o despedida.

| HOLA, ¿QUÉ TAL? | ¡HASTA LUEGO, ANA! | ¡HASTA MAÑANA, CHICOS! |

b. (4) Escucha las conversaciones y comprueba tu respuesta.

c. [V] Clasifica estos saludos y estas despedidas. Algunas expresiones pueden utilizarse para ambas cosas.

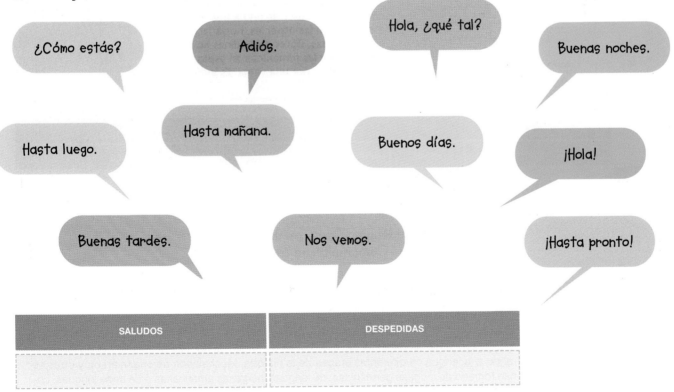

¿Cómo estás?

Adiós.

Hola, ¿qué tal?

Buenas noches.

Hasta luego.

Hasta mañana.

Buenos días.

¡Hola!

Buenas tardes.

Nos vemos.

¡Hasta pronto!

SALUDOS	DESPEDIDAS

d. [V] Compara tu respuesta con la de tu compañero.

8. El español, una lengua mestiza

a. **E** Busca estas palabras en el *Diccionario de la Real Academia Española* (www.rae.es) y escríbelas en la tabla según su origen.

FILOSOFÍA

LIBERTAD

TOMATE

GÜISQUI

HOTEL

ESTÁNDAR

CACAO

BIDÉ

ANÁLISIS

ALCALDE

PAZ

ALFOMBRA

GUERRA

GUARDA

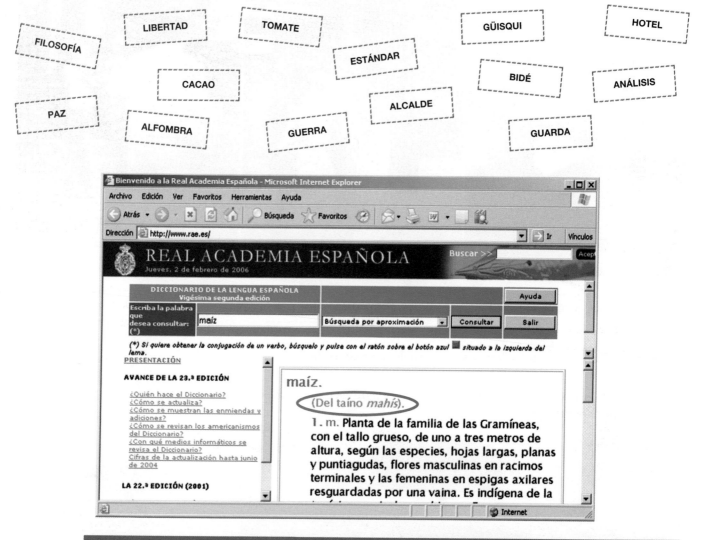

ORIGEN							
LATINO	GRIEGO	ÁRABE	GERMÁNICO	NAHUA	FRANCÉS	INGLÉS	...
PALABRA							

b. **Cs** ¿Tiene tu lengua alguna palabra de origen español? ¿Y de otras lenguas? Coméntalo con tus compañeros.

9. Gestos

a. C Cs ¿Qué gesto utilizas para saludar a un amigo? ¿Y a una amiga?
¿Y a tu jefe? Coméntalo con tus compañeros.

b. C Cs Lee los diálogos. ¿Sabes qué gestos suelen acompañar a estas respuestas
en español? Hazlos. ¿Y en tu lengua?

◆ ¿Te llamas Sonia?
◆ Sí.

◆ ¿Eres María?
◆ No.

◆ ¿Cómo se llama?
◆ No lo sé.

PINCELADAS

■ El lenguaje no verbal no es igual en todos los países.

■ En España e Hispanoamérica la distancia entre las personas cuando hablan es menor que en otras culturas; la gente se mira a los ojos, se da palmadas, se toca, se besa, se abraza...

■ Elegir un saludo o un gesto depende de si la persona a la que saludamos es hombre o mujer, de su edad y de la relación que tenemos con ella.

COMUNICACIÓN

Pedir y dar algunos datos personales

El nombre

◆ *¿Cómo te llamas?*

◆ *Josie.*

La nacionalidad

◆ *¿De dónde eres?*

◆ *Soy estadounidense.*

La residencia

◆ *¿Dónde vives?*

◆ *En Nueva York.*

Las lenguas que hablas o estudias

◆ *¿Qué lenguas hablas?*

◆ *Hablo inglés y un poco de francés.*

Preguntar cómo se escribe una palabra, cómo se dice algo o cómo se llama en español y el significado de una palabra

◆ *¿Cómo se escribe tu nombre?*

◆ *¿Cómo se llama esto?*

◆ *¿Cómo se dice dictionary en español?*

◆ *¿Qué significa corcho?*

Generalizar

◆ *El español **se habla** en muchos países.*

Preguntar y expresar la finalidad de algo

◆ *¿**Para qué** estudias español?*

◆ ***Para hablar** con mis amigos hispanoamericanos.*

Expresar existencia

◆ *En el aula **hay** una pizarra, un ordenador, una papelera…*

Expresar desconocimiento

◆ *No (lo) sé.*

VOCABULARIO

Los países y las nacionalidades

España: español, española; Marruecos: marroquí; Bélgica: belga…

El alfabeto

A, be, ce, che, de, e, efe…

Las lenguas

Español, inglés, chino, japonés, portugués…

El material escolar

Pizarra, borrador, tiza, diccionario, libro…

Los saludos y las despedidas

Hola, buenos días, hasta luego…

GRAMÁTICA

Presente de indicativo

	Llamarse	Ser	Vivir
(yo)	me llamo	soy	vivo
(tú)	te llamas	eres	vives
(él, ella)	se llama	es	vive

	Hablar	Aprender	Escribir
(yo)	hablo	aprendo	escribo
(tú)	hablas	aprendes	escribes
(él, ella)	habla	aprende	escribe

Interrogativos

Cómo	*¿Cómo + verbo?*
	◆ *¿Cómo te llamas?*
Dónde	*¿Dónde + verbo?*
	◆ *¿Dónde vives?*
	¿Preposición + dónde + verbo?
	◆ *¿De dónde eres?*
Qué	*¿Qué + sustantivo?*
	◆ *¿Qué lenguas hablas?*
	¿Qué + verbo?
	◆ *¿Qué significa corcho?*
	¿Preposición + qué + verbo?
	◆ *¿Para qué estudias español?*

Construcción impersonal con *se*

se + verbo en 3.ª persona

◆ *El español **se habla** en muchos países.*

Preposiciones

◆ *Aprendo español **para** hablar con mis amigos.*

◆ *Vivo **en** Madrid.*

El adjetivo calificativo

Masculino singular	Femenino singular	Masculino plural	Femenino plural
rumano	rumana	rumanos	rumanas
español	española	españoles	españolas
belga		belgas	
marroquí		marroquís o marroquíes	
estadounidense		estadounidenses	

El artículo definido

	Masculino	Femenino
Singular	el libro	la goma
Plural	los compañeros	las tizas

El artículo indefinido

	Masculino	Femenino
Singular	un libro	una goma
Plural	unos compañeros	unas tizas

Encantado de conocerte

En esta unidad vas a aprender:

- A dar información personal: tu profesión, fecha de nacimiento, número de teléfono, dirección de correo electrónico...

- A dirigirte a alguien de una manera más o menos formal

- A presentar a otra persona

- Los números del 0 al 100

- A explicar cómo es tu escuela

- Qué lenguas se hablan en España y en Hispanoamérica

- Los nombres propios y fórmulas de tratamiento más comunes en España e Hispanoamérica

COMUNICACIÓN	GRAMÁTICA	VOCABULARIO	CULTURA Y SOCIOCULTURA	TEXTOS
Pedir y dar algunos datos personales	Presente de indicativo: *apellidarse, tener, saber*	Las profesiones	El español en contacto con otras lenguas	Conversaciones cara a cara
Hacer una afirmación señalando cierto grado de duda	El sustantivo: género y número	Los números del 0 al 100	Los nombres y apellidos	Documentos de identificación
Usar *tú* o *usted*	Demostrativos: *este, esta*	Los años		Agendas
Presentar a otra persona y reaccionar a una presentación	Interrogativos: *cuál, cuántos/as*	Los meses del año		Folleto publicitario
Pedir que se repita un dato		Algunos símbolos y signos ortográficos		Texto enciclopédico
Pedir la confirmación de un dato		Las abreviaturas		Tarjetas de visita
		Los nombres propios		
		Los numerales ordinales		
		Las fórmulas de tratamiento		

1. ¿A qué te dedicas?

a. C Relaciona las preguntas y las respuestas. Después, identifica a la persona que responde.

① ¿CÓMO TE LLAMAS?

¿CÓMO TE APELLIDAS?

¿ME PUEDES DELETREAR TU SEGUNDO APELLIDO, POR FAVOR?

¿A QUÉ TE DEDICAS?

A, ZETA, KA, A, ERRE, A, GE, A.

② MARÍA.

ESTUDIO DERECHO.

④

③

LÓPEZ AZKÁRRAGA.

b. ⑤ Escucha el diálogo que tiene lugar en la secretaría de un centro de idiomas y comprueba tus respuestas.

c. V Mira las fotografías. ¿A qué crees que se dedica cada persona? Las palabras del cuadro pueden ayudarte.

1. _____
2. _____
3. _____
4. _____

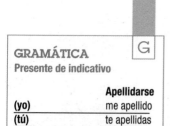
d. Piensa en un compañero y escribe todo lo que sabes o imaginas de él (nombre, apellido, nacionalidad y profesión). Después, pregunta al resto de compañeros los datos que te faltan.

◆ *¿Sabes cómo se apellida Rui?*
◆ *No, no lo sé.*
◆ *Yo creo que se apellida Cardoso Mendes.*

e. Pregúntale directamente a tu compañero y comprueba tus hipótesis.

◆ *¿Te apellidas Cardoso Mendes?*
◆ *No, me apellido Cardoso Amorim.*

2. ¿Tú o usted?

a. Coloca las intervenciones que faltan en esta conversación entre
una estudiante que busca un intercambio para hablar en español y la secretaria
de un centro de idiomas.

◆ *Buenas tardes, ¿es usted Marta, la secretaria?*

◆ ① ...

◆ *¿Sabe si hay estudiantes para hacer un intercambio de idiomas?*

◆ ② ...

◆ *Hablo español, inglés, italiano y un poco de portugués.*

◆ ③ ...

◆ *Soy médico.*

◆ ④ ...

◆ *Vale. Muchas gracias. Mi número es el...*

a. Sí, claro. ¿Qué idiomas habla?

b. Sí, sí, soy yo. ¿En qué puedo ayudarla?

c. Bien, pues déjeme su número de teléfono y en pocos días
la llamamos para hablar con su intercambio.

d. ¿A qué se dedica?

b. C ¿Cómo trata la estudiante
a la secretaria, de *tú* o de *usted*?
¿Y la secretaria a la estudiante?

COMUNICACIÓN
Usar *tú* o *usted*

En español peninsular, utilizamos *tú* cuando nos dirigimos a alguien que conocemos
y con el que tenemos confianza o cuando es alguien muy joven:

◆ *¿Cómo te llamas?*

Utilizamos ***usted*** cuando nos dirigimos a alguien que no conocemos, con el que no
tenemos confianza o que está jerárquicamente por encima de nosotros:

◆ *¿Cómo se llama?*

C

c. C ¿Cómo tratas tú a estas personas? ¿De *tú* o de *usted*? Coméntalo
con tus compañeros.

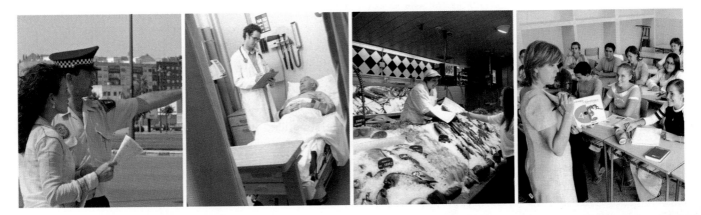

3. Presentar a otra persona

a. Relaciona cada diálogo con su fotografía correspondiente.

- ◆ *Mira, Luis, este es mi amigo Mariano. Mariano, este es Luis, un compañero del trabajo.*
- ◆ *¡Hola! ¿Qué tal?*
- ◆ *¿Qué tal?*

- ◆ *Señor Cruz, le presento a la señora Gómez, la nueva directora de comunicación. El señor Cruz es el director comercial de la empresa.*
- ◆ *Mucho gusto.*
- ◆ *Encantada de conocerlo.*

b. [C] Observa ahora estas fotografías e intenta completar los diálogos.

- ◆ *Abuelo, _____ a Pablo, un compañero de la facultad.*
- ◆ *¡Hola! ¿_____ tal?*
- ◆ *_____ de conocerlo.*

- ◆ *Aurora, _____ es mi hermano Antonio.*
- ◆ *Encantada de _____.*
- ◆ *Igualmente.*

c. (6) Esucha los diálogos y comprueba tus hipótesis.

d. Invéntate una nueva personalidad para tu compañero y preséntaselo así al resto de tus compañeros. ¿Le hace gracia a tu compañero su nueva personalidad?

- ◆ *Mira, Rita, esta es Natalia, mi profesora de kárate.*
- ◆ *¡Encantada!*

4. Los números del 0 al 100

a. V Fíjate en cómo se escriben en español los números del 0 al 100.
Completa el nombre de los que faltan.

VOCABULARIO
Los números del 0 al 100

0 Cero	11 Once	21 Veintiuno	31 Treinta y _____	40 Cuarenta
1 Uno	12 Doce	22 Veintidós	32 Treinta y _____	50 Cincuenta
2 Dos	13 Trece	23 Veinti_____	33 Treinta y tres	60 Ses_____
3 Tres	14 Catorce	24 Veinticuatro	34 Treinta y _____	70 Setenta
4 Cuatro	15 Quince	25 Veinti_____	35 Treinta y cinco	80 Ochenta
5 Cinco	16 Dieciséis	26 Veintiséis	36 Treinta y _____	90 Nov_____
6 Seis	17 Dieci_____	27 Veintisiete	37 Treinta y siete	100 Cien
7 Siete	18 Dieciocho	28 Veinti_____	38 Treinta y ocho	
8 Ocho	19 Dieci_____	29 Veintinueve	39 Treinta y nueve	
9 Nueve	20 Veinte	30 Treinta		
10 Diez				

V

---

b. V Piensa un número del 0 al 100. Tu compañero debe descubrir qué número
es haciéndote preguntas. Tiene dos minutos para descubrirlo.

- ◆ *¿Es el siete?*
- ◆ *No, es mayor.*
- ◆ *¿El veinte?*
- ◆ *No, es menor.*
- ◆ *¿Es el quince?*
- ◆ *¡Sí!*

c. V Relaciona cada documento con su nombre.

TARJETA DE CRÉDITO

PASAPORTE

DOCUMENTO NACIONAL
DE IDENTIDAD (DNI)

d. ⑦ Escucha estas conversaciones en las que se nombran los números de estos
documentos y escríbelos.

1. _____
2. _____
3. _____

VOCABULARIO
Los años

V

5. Más datos personales

a. Pregunta a tu compañero su fecha de nacimiento y calcula su número de la suerte. ¡Es muy útil conocerlo para jugar a la lotería!

- ◆ *¿Cuál es tu fecha de nacimiento?*
- ◆ *El 23 de noviembre de 1973.*

1856: **mil ochocientos** cincuenta y seis

1972: **mil novecientos** setenta y dos

2007: **dos mil** siete

Los meses del año

enero	julio
febrero	agosto
marzo	septiembre
abril	octubre
mayo	noviembre
junio	diciembre

Algunos símbolos y signos ortográficos

@: arroba

.: punto

_: guión bajo

¿CUÁL ES TU NÚMERO DE LA SUERTE?

Por ejemplo: si naces un 23 de noviembre de 1973, tu número de la suerte es:

Día: 23 (2 + 3) = 5
Mes: noviembre, el mes 11 (1 + 1) = 2
Año: 1973 (7 + 3) = 10
Total: día (5) + mes (2) + año (10) = 17 (1 + 7) = 8
TU NÚMERO DE LA SUERTE ES EL 8

b. (8) La secretaria de un centro de idiomas llama por teléfono a algunos estudiantes para completar la ficha con sus datos personales.
Escucha y rellena las fichas.

Nombre: Pedro
Apellidos: Gómez Sánchez
N.º de teléfono fijo: 91 543 00 57
N.º de teléfono móvil:
Fecha de nacimiento:
Correo electrónico:

Nombre: Isabel
Apellidos: Rubio Martínez
N.º de teléfono fijo:
N.º de teléfono móvil: 653 73 84 13
Fecha de nacimiento:
Correo electrónico:

Nombre: Diego
Apellidos: Juliana Muñiz
N.º de teléfono fijo:
N.º de teléfono móvil: 609 37 62 54
Fecha de nacimiento:
Correo electrónico:

COMUNICACIÓN
Pedir y dar algunos datos personales

La fecha de nacimiento

- ◆ *¿Cuál es tu/su fecha de nacimiento?*
- ◆ *El 10 de julio de 1972.*

La fecha de cumpleaños

- ◆ *¿Qué día es tu/su cumpleaños?*
- ◆ *Mi cumpleaños es el 30 de mayo.*

La edad

- ◆ *¿Cuántos años tienes/tiene?*
- ◆ *Tengo 23 años.*

El número de teléfono

- ◆ *¿Cuál es tu/su número de teléfono fijo?*
- ◆ *Es el 955 74 23 07.*

- ◆ *¿Cuál es tu/su número de teléfono móvil?*
- ◆ *Es el 654 44 32 79.*

C

La dirección de correo electrónico

- ◆ *¿Cuál es tu/su dirección de correo electrónico?*
- ◆ *Es berta_j@madrid.es (todo con minúsculas).*

Pedir que se repita un dato

- ◆ *Perdona/e, ¿puedes/puede repetirlo, por favor?*

Pedir la confirmación de un dato

- ◆ *Tu/Su número de teléfono móvil es el 600 73 84 13, ¿no?/¿verdad?*

c. Completa tu agenda con los datos de tus compañeros.

Nombre:

Apellidos:

Fecha de cumpleaños:

6. Conoce tu escuela

a. 📖 **Lee la información del folleto y contesta a las preguntas.**

- ¿Qué actividades ofrece la escuela?
- ¿Cuántas lenguas se enseñan?
- ¿Cuántos alumnos hay en cada clase?
- ¿Cuál es el número de teléfono de la escuela?
  ¿Y la dirección de correo electrónico?
- ¿Tiene página web? ¿Cuál es su dirección?

CENTRO DE IDIOMAS

- Ambiente internacional.
- Profesionales de la enseñanza de lenguas.
- Grupos reducidos, máximo 10 alumnos por clase.
- Cursos intensivos, personalizados, mensuales, trimestrales y anuales.
- Clases particulares.

Ofrecemos clases de inglés, francés, alemán, italiano, portugués y español.

Disponemos de:

- Biblioteca
- Sala de nuevas tecnologías
- Cafetería

Organizamos:

- Actividades culturales
- Excursiones
- Intercambios

Opiniones de alumnos:

«Esta escuela es estupenda. He aprendido mucho»

Contacta con nosotros:

Tfno. 91 222 222
info@centrodeidiomas.es
www.centrodeidiomas.es
c/ España, 2.
28004 Madrid

> **VOCABULARIO** V
> Abreviaturas
>
> **N.º**: número
> **Tfno.**, **tel.** o **teléf.**: teléfono
> **c/**: calle
> **Plza.** o **pl.**: plaza
> **Avda.**: avenida

b. 🎧 **Completa ahora un folleto sobre tu centro con la información que conoces.**

TU ESCUELA

> **ESTRATEGIAS** E
>
> Si vas a preguntar algo para obtener una información concreta, planifica antes tus preguntas.
>
> Piensa cómo vas a dirigirte a la persona a la que vas a preguntar, ¿de *tú* o de *usted*?

c. 🗣 **Ahora observa los folletos de tus compañeros y completa el tuyo. Si os falta alguna información, preguntad en la secretaría del centro.**

7. El español en contacto con otras lenguas

a. [BLA BLA BLA] [Cs] **Antes de leer el texto, responded entre todos a estas preguntas.**

- ¿Sabéis qué otras lenguas se hablan en Hispanoamérica además del español?
- ¿Dónde se hablan esas lenguas?

b. [📖] [Cs] **Lee el texto y comprueba tus respuestas.**

OCÉANO ATLÁNTICO

OCÉANO PACÍFICO

Área de extensión del español en América

Las lenguas de Hispanoamérica

En América, el español no es la única lengua que se habla. En algunos países hispanoamericanos, una parte de la población tiene como lengua materna una lengua indígena americana:

– la lengua maya se habla en la actualidad fundamentalmente en la península de Yucatán;

– el nahua se usa en varios Estados mexicanos;

– en las zonas por las que se extendía la civilización inca (Ecuador, Perú y Bolivia), se habla el quechua;

– en Paraguay la mitad de la población es bilingüe y el guaraní es, junto con el castellano, la lengua oficial de la república;

– el aimara es la lengua del pueblo amerindio que habita junto al lago Titicaca, entre Perú y Bolivia.

Además, dentro del continente americano, algunas zonas del sudoeste y sudeste de Estados Unidos, particularmente Texas, Nuevo México, Colorado, California y Florida, son en la actualidad bilingües en inglés y español.

(Texto adaptado de *La enciclopedia del estudiante*, *Lengua Castellana I*, Santillana-El País, 2005)

c. [BLA BLA BLA] [Cs] **¿Qué otras lenguas se hablan en España? ¿En qué comunidades autónomas se hablan? Entre todos situadlas en el mapa.**

MAPA POLÍTICO DE ESPAÑA
- ◉ Capital de Estado
- ◙ Capital de Comunidad Autónoma
- • Capital de provincia
- ⎯ Límite de Estado
- ⎯⎯ Límite de Comunidad Autónoma
- ----- Límite de provincia

d. (9) **Escuchad estos saludos. ¿En qué lenguas hablan?**

1. _____
2. _____
3. _____
4. _____

PINCELADAS

- En España, la diversidad lingüística se recoge en la Constitución y en los Estatutos de Autonomía de Galicia, País Vasco, Comunidad Foral de Navarra, Cataluña, Baleares y Comunidad Valenciana, que aceptan dos lenguas oficiales. También en Asturias y en Aragón se mencionan, en sus respectivos Estatutos de Autonomía, otras modalidades lingüísticas distintas del castellano a las que se garantiza protección.

8. Nombres y más

a. 📖 Lee estas tarjetas. Subraya en rojo el nombre y en azul los apellidos de cada persona.

Universidad de La Rioja
Dpto. de Derecho Comunitario

Dr. D. Luis Alfredo Pérez Martín

Catedrático

Edificio Antiguo. c/ Prior, 2. 26001 Logroño
Tfno. 941 22 91 23. Fax: 941 21 20 46
luis_pm@unirioja.es

García de Pablos y Asociados, S. L.

Juana García de Pablos
ABOGADA

Tels. 540 14 23 - 540 14 23
Fax. 540 13 22
Pl. España, 2, 1.º dcha. 32041 Bogotá, D. C.
jgarcia@garciadepablos.com

VOCABULARIO V
Los numerales ordinales

1.º primero/primera/primer*
2.º segundo/a
3.º tercero/tercera/tercer*
4.º cuarto/a
5.º quinto/a
6.º sexto/a
7.º séptimo/a
8.º octavo/a
9.º noveno/a
10.º décimo/a

*Cuando *primero* y *tercero* van antes de un sustantivo masculino singular, se apocopan: *primer piso*, *tercer piso*.

b. 🗨 Cs Además del nombre y los apellidos, ¿qué otros datos aparecen en las tarjetas? ¿Se incluye en las tarjetas de tu país la misma información? Coméntalo con tus compañeros.

Mari	Pilar
Paco	Manuel
Pepe	María Luisa
Pili	Juan Manuel
Toni	Francisco
Trini	María Isabel
Inma	María de la Soledad
Lola	José María
Manolo	Antonio
Juanma	Juan José
Maribel	Trinidad
Juanjo	María
Chema	Inmaculada
Marisol	Dolores
Marisa	José

c. V En español abundan los nombres familiares que sustituyen en el registro informal al nombre propio de persona. Leed la lista e intentad entre todos relacionar ambas columnas.

d. 🗨 Cs ¿Ocurre algo parecido con los nombres de persona en tu lengua? Coméntalo con tus compañeros.

VOCABULARIO V
Las fórmulas de tratamiento

Señor (Sr.)/Señora (…) + apellidos
Don (…)/Doña (D.ª) + nombre + apellidos
Doctor (Dr.)/Doctora (…) + nombre + apellidos (utilizado en el mundo académico y médico)

e. V Delante del nombre y/o apellidos, en situaciones formales y en la lengua escrita, se usan algunas expresiones. Observa estos sobres y completa el cuadro.

Sra. Pérez Guzmán
c/ Marqués de Paradas, 56, 8.º B
41008 Sevilla

Dra. Isabel Palencia Fernández
c/ Lagasca, 122, 2.º D
28006 Madrid

Restaurante Cantábrico
A/A D. Jesús Menéndez Martínez
Pl. Begoña, 5
33205 Gijón

PINCELADAS

■ La mujer no pierde sus apellidos al casarse.

■ En España e Hispanoamérica se utilizan, normalmente, dos apellidos: generalmente, el primero es el primero del padre y el segundo, el primero de la madre.

■ Muchas personas tienen un nombre compuesto: *María José, Juan Antonio...*

COMUNICACIÓN

Pedir y dar algunos datos personales

El apellido

◆ *¿Cómo te apellidas?*

◆ *Sánchez Ruipérez.*

La profesión

◆ *¿Qué haces?*

◆ *Soy músico.*

◆ *¿A qué te dedicas?*

◆ *Estudio Derecho.*

La fecha de nacimiento

◆ *¿Cuál es tu/su fecha de nacimiento?*

◆ *El 10 de julio de 1972.*

La fecha de cumpleaños

◆ *¿Qué día es tu/su cumpleaños?*

◆ *Mi cumpleaños es el 30 de mayo.*

La edad

◆ *¿Cuántos años tienes/tiene?*

◆ *¿Qué edad tienes/tiene?*

◆ *Tengo 23 años.*

El número de teléfono

◆ *¿Cuál es tu/su número de teléfono fijo?*

◆ *Es el 955 74 23 07.*

◆ *¿Cuál es tu/su número de teléfono móvil?*

◆ *Es el 654 44 32 79.*

La dirección de correo electrónico

◆ *¿Cuál es tu/su dirección de correo electrónico?*

◆ *Es berta_j@madrid.es (todo con minúsculas).*

Hacer una afirmación señalando cierto grado de duda

◆ **Yo creo que** *se apellida García Ponce.*

Usar *tú* **o** *usted*

◆ *¿Cómo te llamas?*

◆ *¿Cómo se llama?*

Presentar a otra persona y reaccionar a una presentación

◆ *(Mira,) Gloria, este es mi amigo Julio.*

◆ *Encantado/a (de conocerte).*

◆ *¡Hola! ¿Qué tal?*

◆ *(Mire,) señor Jiménez, le presento a la señora Alba, la nueva directora general.*

◆ *Encantado/a (de conocerlo/a).*

◆ *Mucho gusto.*

Pedir que se repita un dato

◆ *Perdona/e, ¿puedes/puede repetirlo, por favor?*

Pedir la confirmación de un dato

◆ *Tu/su número de teléfono móvil es el 600 73 84 13, ¿no?/¿verdad?*

GRAMÁTICA

Presente de indicativo

	Apellidarse	Tener	Saber
(yo)	me apellido	tengo	sé
(tú)	te apellidas	tienes	sabes
(él, ella, usted)	se apellida	tiene	sabe

El sustantivo

Masculino singular	Femenino singular	Masculino plural	Femenino plural
estudiante		estudiantes	
periodista		periodistas	
profesor	profesora	profesores	profesoras
abogado	abogada*	abogados	abogadas

*En algunas profesiones, la forma masculina también se usa para referirse a una mujer.

Demostrativos

	SINGULAR
Masculino	**Femenino**
este	esta

Interrogativos

Cuál	¿Cuál + verbo?
	◆ *¿Cuál es tu número de teléfono?*
Cuántos/as	¿Cuántos/as + sustantivo?
	◆ *¿Cuántos años tienes?*

VOCABULARIO

Las profesiones

Estudiante, dentista, profesor, arquitecto…

Los números del 0 al 100

Cero, uno, dos, tres, cuatro…

Los años

1984 (mil novecientos ochenta y cuatro)…

Los meses del año

Enero, febrero, marzo, abril…

Algunos símbolos y signos ortográficos

Arroba, punto, guón bajo…

Las abreviaturas

N.º, tfno., c/…

Los nombres propios

Pilar (Pili), Francisco (Paco), Manuel (Manolo)…

Los numerales ordinales

Primero, segundo, tercero…

Las fórmulas de tratamiento

Señor, señora, don, doña…

Aprender español $\boxed{2}$

En esta unidad vas a aprender:

- A conocer tu libro

- A negociar las normas de convivencia en clase

- A decir qué hora es

- A hablar de lo que haces todos los días

- Cómo es el sistema educativo español

- Cómo son los horarios comerciales en España y en Argentina

COMUNICACIÓN	GRAMÁTICA	VOCABULARIO	CULTURA Y SOCIOCULTURA	TEXTOS
Preguntar si uno está o no obligado a hacer algo y expresar obligación o falta de obligación	Presente de indicativo: *hacer, poder, tener, empezar, entender, acostarse, ir, decir*	Las instrucciones del libro	El sistema educativo español	Cuestionario para conocer el libro
Preguntar y expresar si algo está permitido o está prohibido	Perífrasis verbales: *tener que* + infinitivo, *hay que* + infinitivo	Las horas	Los horarios cotidianos y los horarios comerciales	Instrucciones del libro
Indicar que no se entiende algo y pedir que se repita lo dicho	Preposiciones: *de/a, desde/hasta*	Los días de la semana		Conversaciones cara a cara
Pedir a alguien que hable más despacio o más alto	Interrogativos: *qué*	Actividades cotidianas		Horario de clase
Preguntar y decir la hora				Un *blog* de estudiantes
Preguntar y responder sobre el horario				Textos informativos
Pedir y dar información sobre acciones habituales				

1. Aprender a aprender

a. E Completa el siguiente cuestionario sobre tu libro.
Utiliza el diccionario, si es necesario.

1. Abre tu libro por la unidad 0 y anota la página y el lugar donde están los siguientes
apartados.

   • El anuncio de lo que vas a estudiar en esa unidad.
   • El resumen de los contenidos de la unidad.

2. Fíjate en los enunciados de la unidad 1.

   • ¿Cómo se indica que vas a escuchar una grabación del CD?
   • ¿Cómo se indica que vas a trabajar un contenido cultural o sociocultural?

3. Anticipa el contenido de la unidad. Busca la unidad 3 y lee el título. Después,
sin mirar el interior de la unidad, contesta:

   • ¿Sobre qué crees que va a tratar la unidad?
   • ¿Qué sabes sobre ese tema y qué te gustaría saber?

Después ojea la unidad: ¿coincide su contenido con lo que esperabas?

4. Aprende con los mapas.
Observa el mapa político de España de la página 24 y contesta:

   • ¿Qué indican los diferentes colores del mapa?

5. «Lee» en las fotografías. Observa las fotografías de la página 20 y contesta estas
cuestiones:
   • ¿De qué tratan?
   • ¿Qué información añaden a la que proporciona el texto de actividad?

6. Comparte con tus compañeros y compañeras lo que has aprendido.

   Haz memoria de todo lo que sabes sobre cómo se saludan las personas en España.
   Después, cuéntaselo a un compañero o a una compañera utilizando tus propias
   palabras y, si es posible, tus propios gestos o dibujos.

GRAMÁTICA G

Presente de indicativo

	Hacer
(yo)	hago
(tú)	haces
(él, ella, usted)	hace
(nosotros/as)	hacemos
(vosotros/as)	hacéis
(ellos/as, ustedes)	hacen

b. E ¿Qué haces para aprender una lengua? Lee lo que hacen estos alumnos
y añade otras estrategias y técnicas.

Hago mi propio diccionario.
Apunto las palabras por temas
y las repaso frecuentemente.

Cuando aprendo algo, intento
practicarlo rápidamente.

Cuando no entiendo una palabra,
la pregunto o la busco
en el diccionario.

Observo atentamente
la entonación del profesor
y de la gente e intento imitarla.

Cuando leo un texto sé que no
es necesario saber el significado
de cada palabra para entender
el sentido general.

Repaso las unidades
anteriores y hago ejercicios
complementarios.

c. E Compara tu lista con las de tus compañeros y toma nota de las estrategias
y técnicas que te parezcan interesantes.

d. [E] Elige una de las instrucciones de los enunciados de las actividades. Represéntala ante tus compañeros sin hablar, puedes utilizar los gestos y la pizarra. Ellos deben adivinar de qué instrucción se trata.

ESCUCHA   MARCA   CON   CAMBIA   MIRA   PIENSA   Relaciona   COMPLETA   OBSERVA   LEE   ABRE   dibuja   GRACIAS   habla   SUBRAYA   escribe

e. [C] ¿Qué indican estos gestos? Relaciona cada fotografía con su mensaje correspondiente.

1   2   3   4

LEVÁNTATE, POR FAVOR.

NO TE OIGO.

VAIS A HACER ESTA ACTIVIDAD EN GRUPOS DE TRES.

SILENCIO, POR FAVOR.

f. [C] ¿Qué otros gestos utiliza vuestro profesor? Imitadlo.

2. Las normas de clase

a. [V] Marca la normas de clase con las que estás de acuerdo y añade tú otras tres que consideres importantes. Te damos algunas ideas.

	SÍ
En clase solo se puede hablar español.	
Está prohibido usar el teléfono móvil.	
Tenemos que respetar todas las opiniones.	
Hay que asistir siempre a clase.	

- Ser puntual
- Comer
- Mandar deberes
- Quitarse los zapatos
- Hacer deberes
- Fumar
- Salir de clase sin permiso
- Levantar la mano para preguntar
- Ir al cuarto de baño
- Beber
- Usar el diccionario
- …

b. [BLA BLA BLA] Con ayuda de vuestro profesor, llegad entre todos a un acuerdo y elaborad una lista con las normas de convivencia de vuestra clase.

- *¿Se puede hablar en inglés?*
- *No, no se puede.*
- *Sí, pero solo en las primeras clases.*

Las normas de clase
1. Se puede…
2. No se puede…
3. Está prohibido…
4. Hay que…
5. Tenemos que…
6. …

c. [E] Lee las preguntas y completa las respuestas. Compara tus respuestas con las de tu compañero.

¿Qué dices cuando alguien habla muy rápido y no lo entiendes?
- *¿Puedes hablar más despacio, por favor?*
- *Perdona, ¿ _____ repetirlo, por favor?*

¿Qué dices cuando hay ruido y no puedes oír lo que te dicen?
- *¿Puedes hablar más alto, por _____?*

¿Qué dices cuando el profesor explica algo y tú no lo entiendes?
- *No lo entiendo. ¿ _____ explicarlo otra vez, por favor?*

¿Qué dices cuando no sabes cómo se pronuncia una palabra?
- *¿Cómo se _____: caza o casa?*

¿Qué dices cuando no sabes cómo se escribe una palabra?
- *¿Cómo _____ escribe tu apellido?*
- *¿ _____ deletrear tu apellido, por favor?*
- *¿Caja se _____ con ge o con jota?*

¿Qué dices cuando no sabes cómo se dice una palabra en español?
- *¿Cómo se _____ esto?*
- *¿Cómo se _____ dictionary en español?*

¿Qué dices cuando no conoces el significado de una palabra española?
- *¿ _____ significa corcho?*

d. Escribid en una cartulina las mejores ayudas para la clase de español y colgadlas en la pared del aula.

3. ¿Qué hora es?

a. [V] Lee y completa las expresiones que faltan.

VOCABULARIO
Las horas

en punto

menos _____   y cinco

menos diez   _____ diez

menos cuarto   y cuarto

_____ veinte   y veinte

menos veinticinco   y _____

y media

COMUNICACIÓN   C
Preguntar y decir la hora

◆ *¿Qué hora es?*
◆ *Es la una.*
◆ *Son las dos.*

◆ *¿Tienes hora?*
◆ *No, lo siento.*
◆ *Es la una.*

b. (10) Escucha los siguientes anuncios y conversaciones en los que se dice la hora. Pon la hora en cada reloj.

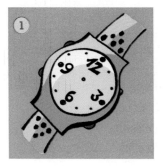

c. [BLA BLA BLA] Lee tu tarjeta y sigue las instrucciones.

Alumno A

Pregúntale a tu compañero qué hora es y dibuja las agujas en los relojes.

Dile la hora a tu compañero cuando te la pregunte.

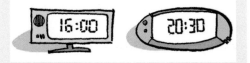

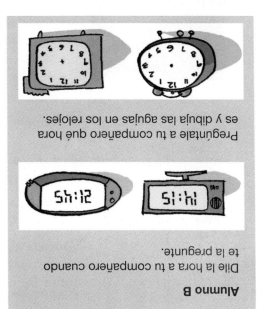

Pregúntale a tu compañero qué hora es y dibuja las agujas en los relojes.

Dile la hora a tu compañero cuando te la pregunte.

Alumno B

4. ¿A qué hora empieza tu clase de español?

a. ▢ Marca como verdaderas (V) o falsas (F) las siguientes afirmaciones sobre el centro donde estudias español.

	V	F
■ La secretaría abre a las siete de la mañana.	▢	▢
■ En el centro no hay sala de ordenadores.	▢	▢
■ La biblioteca está abierta a las dos y cuarto.	▢	▢
■ Las clases empiezan a las nueve y media y terminan a las dos.	▢	▢
■ La cafetería cierra a las cuatro de la tarde.	▢	▢
■ Hay servicios para señoras y caballeros.	▢	▢

COMUNICACIÓN C
Preguntar y responder sobre el horario

◆ *¿**A qué hora** terminan tus clases?*
◆ *A las dos.*

b. ▢ Mira el horario de Mario, un estudiante universitario de Ciencias de la Información, y completa la conversación.

	Lunes	Martes	Miércoles	Jueves	Viernes	Sábado	Domingo
8.00		Sociología					
9.00	Sociología	Documentación	Documentación	Historia del siglo xx	Historia del siglo xx		
10.00		Lengua					
11.00	Comunicación escrita	Comunicación escrita	Lengua	Comunicación audiovisual	Comunicación audiovisual		
12.00							

◆ *¡Hola, Mario! Buenos días. ¿Vas a clase?*

◆ *¡Hola, Silvia! No, los lunes empiezo a las _____. Voy a la sala de ordenadores. ¿Y tú, adónde _____?*

◆ *_____ a clase de Inglés. ¿Nos vemos a las once en la cafetería para tomar un café?*

◆ *Lo siento, no puedo. Tengo clase de Comunicación escrita de once a _____. ¿Quedamos a la una?*

◆ *No puedo. Tengo clase de Literatura.*

◆ *¿Y a qué _____ termina esa clase?*

◆ *A las dos.*

◆ *¿Nos vemos a las dos y comemos juntos?*

◆ *Muy bien. Quedamos a las dos en la cafetería. ¡Hasta luego!*

◆ *¡Hasta luego!*

ESTRATEGIAS E

Es muy importante aprender a distinguir los diferentes tipos de entonación. Así sabemos si nos preguntan algo, si la persona que habla con nosotros está contenta o enfadada, etc.

c. ⑪ Escucha la conversación y comprueba tus respuestas.

d. ⑫ P Fíjate y escucha la entonación de las siguientes oraciones. Después, repítelas en voz alta.

◆ *¿A qué hora empiezan tus clases?*
◆ *A las ocho de la mañana.*

◆ *¿Adónde vas?*
◆ *Voy a clase de Inglés.*

◆ *¿Quedamos a la una?*
◆ *Lo siento, no puedo.*

GRAMÁTICA G
Presente de indicativo

	Empezar	Ir
(yo)	empiezo	voy
(tú)	empiezas	vas
(él, ella, usted)	empieza	va
(nosotros/as)	empezamos	vamos
(vosotros/as)	empezáis	vais
(ellos/as, ustedes)	empiezan	van

5. Un *blog*

a. E ¿Sabéis qué es un *blog*? Intentad entre todos explicarlo en español. Estas palabras pueden ayudaros.

- Página web
- Contar
- Internet
- Personal
- Cuaderno

b. V Lee el siguiente mensaje de una estudiante de español y escribe el nombre de la acción que representa cada fotografía.

Idiomas

Estudiantes de inglés

Estudiantes de francés

Estudiantes de italiano

Estudiantes de español

www.blogsdeestudiantesdeidiomas.es

Estudiantes de español

Un día normal de una estudiante extranjera en España
ENVIADO POR LIBBI EL LUNES, 15/11/2006, 18.00, Sevilla

Todos los días me levanto a las ocho en punto. Me ducho, desayuno y a las nueve voy a clase en bicicleta. Las clases de español empiezan a las nueve y media y terminan a la una. A las once y media hacemos un descanso para tomar un café y hablar con otros estudiantes. Después, me voy a comer a casa. Por la tarde estudio español, voy a la biblioteca, paseo, voy al cine, quedo con otros estudiantes… A las nueve y media o diez ceno y me acuesto sobre las once y media.

GRAMÁTICA G
Presente de indicativo

	Acostarse
(yo)	me acuesto
(tú)	te acuestas
(él, ella, usted)	se acuesta
(nosotros/as)	nos acostamos
(vosotros/as)	os acostáis
(ellos/as, ustedes)	se acuestan

c. Escribe un mensaje para tu *blog* de estudiante de español y di qué haces un día normal.

Idiomas

Estudiantes de inglés

Estudiantes de francés

Estudiantes de italiano

Estudiantes de español

www.blogsdeestudiantesdeidiomas.es

Un día normal en mi vida

- ¿A qué hora te levantas?
- ¿A qué hora empiezas a trabajar?
- ¿Qué días tienes clase de español?
- ¿Dónde y cuándo comes?
- ¿Qué haces por las tardes?
- ¿A qué hora te acuestas?

6. El sistema educativo español

a. [icons] Responded entre todos a las siguientes preguntas.

- ¿Hasta qué edad creéis que es obligatoria la educación en España?
- ¿Cómo se llaman las diferentes etapas educativas?

b. [icons] Lee el siguiente texto y comprueba tus respuestas.

El sistema educativo español

En España la educación es obligatoria de los seis a los dieciséis años. La Educación Primaria empieza a los seis años y termina a los doce. Antes, hasta los seis años, los niños y niñas van a Educación Infantil, pero no es una etapa obligatoria. La Primaria tiene tres ciclos y cada ciclo tiene dos cursos: el primer ciclo lo componen primero y segundo de Primaria; el segundo ciclo, tercero y cuarto; y el tercer ciclo, quinto y sexto. Cuando los alumnos tienen 12 años empiezan la Educación Secundaria Obligatoria (ESO). Esta etapa está compuesta por cuatro cursos. Los alumnos tienen dieciséis años cuando terminan ESO, después pueden seguir estudiando otras enseñanzas no obligatorias como el Bachillerato o la Formación Profesional.

c. [icons] Compara el sistema educativo de tu país con el español. Completa el siguiente esquema y compáralo con el de tus compañeros.

PINCELADAS

- En España, existen centros docentes públicos (del Estado), privados y concertados, que son aquellos centros privados que reciben fondos públicos.

- Para acceder a los estudios universitarios en España es necesario aprobar el Bachillerato y superar una prueba escrita.

SISTEMA EDUCATIVO ESPAÑOL			SISTEMA EDUCATIVO DE TU PAÍS
ETAPAS	**CURSOS**	**EDADES**	
Ed. infantil		hasta 6 años	
Educación Primaria	Primero	6 años	
	Segundo	7 años	
	Tercero	8 años	
	Cuarto	9 años	
	Quinto	10 años	
	Sexto	11 años	
Educación Secundaria Obligatoria	Primero	12 años	
	Segundo	13 años	
	Tercero	14 años	
	Cuarto	15 años	
Bachillerato	Primero	16 años	
	Segundo	17 años	

7. Los horarios

a. 📖 Cs Lee la información sobre los horarios comerciales en España y en Argentina y sigue las instrucciones.

Alumno A
Lee esta información. Tu compañero va a hacerte algunas preguntas al respecto.

Horarios comerciales en España

En los bares y cafeterías el horario habitual del desayuno es de 8 a 10 de la mañana. El almuerzo, en los restaurantes, es desde las 13.00 hasta las 15.30 horas y la cena se sirve desde las 20.30 hasta las 23.00 horas. Muchos establecimientos tienen el servicio continuo a lo largo de todo el día, práctica que es común en las cafeterías y bares.

La noche en España tiene un significado especial, sobre todo de jueves a domingo. Los *pubs*, bares de copas y discotecas suelen permanecer abiertos hasta las 3 o las 4 de la madrugada y en las grandes ciudades abundan los sitios que permanecen abiertos hasta el amanecer.

Para ampliar esta información puedes consultar la página del Instituto de Turismo de España (www.spain.info).

Pregunta a tu compañero y completa la información del texto.

Horarios comerciales en Argentina

Bancos y casas de cambio: de lunes a viernes, de _____ a 15.00 horas.

Tiendas y negocios: en las grandes ciudades, de 9.00 a _____ horas, aunque en el interior suelen cerrar a mediodía. Los sábados, el horario es de 9.00 a 13.00.

Cafés, confiterías y pizzerías: están casi siempre abiertos, con un paréntesis entre las dos y las seis de la madrugada.

Restaurantes: el almuerzo se sirve a partir de las _____ y la cena a partir de las _____. Muchos establecimientos ofrecen comidas rápidas a todas horas.

Para ampliar esta información puedes consultar la página de la Secretaría de Turismo de Argentina (www.turismo.gov.ar).

Alumno B
Lee esta información. Tu compañero va a hacerte algunas preguntas al respecto.

Horarios comerciales en Argentina

Bancos y casas de cambio: de lunes a viernes, de 10.00 a 15.00 horas.

Tiendas y negocios: en las grandes ciudades, de 9.00 a 20.00 horas, aunque en el interior suelen cerrar a mediodía. Los sábados, el horario es de 9.00 a 13.00.

Cafés, confiterías y pizzerías: están casi siempre abiertos, con un paréntesis entre las dos y las seis de la madrugada.

Restaurantes: el almuerzo se sirve a partir de las 12.30 y la cena a partir de las 20.30. Muchos establecimientos ofrecen comidas rápidas a todas horas.

Para ampliar esta información puedes consultar la página de la Secretaría de Turismo de Argentina (www.turismo.gov.ar).

Pregunta a tu compañero y completa la información del texto.

Horarios comerciales en España

En los bares y cafeterías el horario habitual del desayuno es de 8 a _____ de la mañana. El almuerzo, en los restaurantes, es desde las _____ hasta las 15.30 horas y la cena se sirve desde las 20.30 hasta las _____ horas. Muchos establecimientos tienen el servicio continuo a lo largo de todo el día, práctica que es común en las cafeterías y bares.

La noche en España tiene un significado especial, sobre todo de jueves a domingo. Los pubs, bares de copas y discotecas suelen permanecer abiertos hasta las _____ de la madrugada y en las grandes ciudades abundan los sitios que permanecen abiertos hasta el amanecer.

Para ampliar esta información puedes consultar la página del Instituto de Turismo de España (www.spain.info).

PINCELADAS

■ En las grandes ciudades españolas los horarios comerciales son muy amplios y las tiendas y comercios abren los sábados por la tarde y no suelen cerrar a mediodía. Sin embargo, en las ciudades más pequeñas y en los pueblos suelen cerrar entre la una y media y las cuatro y media de la tarde.

COMUNICACIÓN

Preguntar si uno está o no obligado a hacer algo y expresar obligación o falta de obligación

◆ *¿**Tenemos que** hablar siempre en español?*
◆ *Sí, **hay que** hablar español.*
◆ *Sí, **tenemos que** hablar siempre en español.*

Preguntar y expresar si algo está permitido o está prohibido

◆ *¿**Se puede** hablar inglés en clase?*
◆ *Sí, sí **se puede**.*
◆ *No, **no se puede**.*
◆ *No, **está prohibido**.*

Indicar que no se entiende algo y pedir que se repita lo dicho

◆ *No lo entiendo. ¿Puedes explicarlo otra vez, por favor?*

Pedir a alguien que hable más despacio o más alto

◆ *¿Puedes hablar más despacio, por favor?*
◆ *¿Puedes hablar más alto, por favor?*

Preguntar y decir la hora

◆ *¿Qué hora es?*
◆ *Es la una.*
◆ *Son las dos.*
◆ *¿Tienes hora?*
◆ *No, lo siento, no tengo.*
◆ *Es la una.*

Preguntar y responder sobre el horario

◆ *¿**A qué hora** terminan tus clases?*
◆ *A las dos.*

Pedir y dar información sobre acciones habituales

◆ *¿A qué hora te levantas?*
◆ *Me levanto a las siete y media.*

GRAMÁTICA

Presente de indicativo

	Hacer	Poder	Tener
(yo)	hago	puedo	tengo
(tú)	haces	puedes	tienes
(él, ella, usted)	hace	puede	tiene
(nosotros/as)	hacemos	podemos	tenemos
(vosotros/as)	hacéis	podéis	tenéis
(ellos/as, ustedes)	hacen	pueden	tienen

	Empezar	Entender
(yo)	empiezo	entiendo
(tú)	empiezas	entiendes
(él, ella, usted)	empieza	entiende
(nosotros/as)	empezamos	entendemos
(vosotros/as)	empezáis	entendéis
(ellos/as, ustedes)	empiezan	entienden

	Acostarse	Ir	Decir
(yo)	me acuesto	voy	digo
(tú)	te acuestas	vas	dices
(él, ella, usted)	se acuesta	va	dice
(nosotros/as)	nos acostamos	vamos	decimos
(vosotros/as)	os acostáis	vais	decís
(ellos/as, ustedes)	se acuestan	van	dicen

Perífrasis verbales

Tener que + infinitivo

◆ *Tenemos que respetar todas las opiniones.*

Hay que + infinitivo

◆ *Hay que asistir siempre a clase.*

Preposiciones

◆ *Tengo clase **de** once **a** una.*
◆ *La cena se sirve **desde** las ocho y media **hasta** las once.*

Interrogativos

Qué   ¿Qué + sustantivo?
◆ *¿Qué hora es?*

¿Preposición + *qué* + sustantivo?
◆ *¿A qué hora terminan tus clases?*

VOCABULARIO

Las instrucciones del libro

Lee, mira, observa, marca, escribe...

Las horas

En punto, y cinco, menos diez…

Los días de la semana

Lunes, martes, miércoles…

Actividades cotidianas

Levantarse, desayunar, ir a clase, comer…

En esta unidad vas a aprender:

- A hablar de tu familia

- A decir cómo es una persona (aspecto físico y personalidad)

- A hacer una propuesta de ocio

- A aceptar o rechazar una propuesta

- A felicitar a alguien por su cumpleaños

COMUNICACIÓN

Preguntar y decir el estado civil

Identificar a una persona

Elogiar

Describir a una persona

Hacer una propuesta

Aceptar o rechazar una propuesta

Felicitar el cumpleaños

GRAMÁTICA

Adjetivos posesivos: *mi, tu, su, nuestro/a, vuestro/a…*

Artículo definido (*el, la, los, las*)/artículo indefinido (*un, una, unos, unas*)

Muy, bastante, un poco

Otro/a/os/as

Demostrativos: *este, esta, estos, estas*

Exclamativos: *qué*

Interrogativos: *quién/es*

Presente de indicativo: *parecerse, ser, estar*

VOCABULARIO

La familia

La descripción física

El carácter

CULTURA Y SOCIOCULTURA

Actores españoles e hispanoamericanos

Tipos de unidades familiares

TEXTOS

Conversaciones cara a cara

Mensajes de correo electrónico

Árbol genealógico

Invitaciones

Biografías

1. La familia

a. 📖 Ⓥ François está en un programa de intercambio y va a pasar un mes en casa de Felipe. Lee el mensaje que le envía Felipe para presentarle a su familia y subraya las palabras que indican una relación de parentesco.

COMUNICACIÓN Ⓒ
Preguntar y decir el estado civil

◆ *¿Estás casado?*

◆ *No, estoy soltero.*

GRAMÁTICA
Presente de indicativo

	Estar
(yo)	estoy
(tú)	estás
(él, ella, usted)	está
(nosotros/as)	estamos
(vosotros/as)	estáis
(ellos/as, ustedes)	están

Adjetivos posesivos Ⓖ

	Singular	Plural
(yo)	mi	mis
(tú)	tu	tus
(él, ella, usted)	su	sus
(nosotros/as)	nuestro/a	nuestros/as
(vosotros/as)	vuestro/a	vuestros/as
(ellos/as, ustedes)	su	sus

◆ *Este es mi tío Roberto y estas son mis primas.*

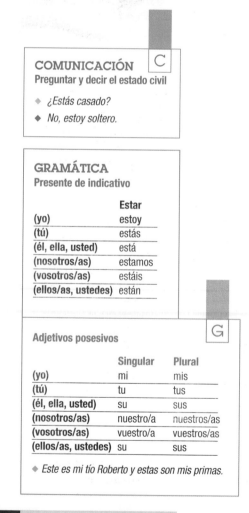

Mi familia - Mensaje

Archivo   Edición   Ver   Insertar   Formato   Herramientas   Tabla   Ventana   ?

Escriba una pregunta

Enviar   Opciones...   HTML

Para...   francoisdelon@mail.com

CC...

Asunto: Mi familia

Adjuntar...   familia.jpg   Opciones de datos adjuntos...

Times New Roman   12

Hola, François:

¿Qué tal? Te mando una foto de mi familia. Yo no estoy, porque soy el que hace la foto. Te los voy a presentar.

Mi abuelo se llama Javier. A su lado está mi madre, Esperanza, con mis dos hermanos pequeños, Marina y Luis. Mi padre se llama Juan Antonio. Está sentado al lado de mi abuela, que se llama Lucía.

En la foto están también mis tíos: Ana, que es hermana de mi madre, y está casada con Alberto; Esteban, que también es hermano de mi madre y está casado con Isabel, y Susana, que está soltera. Mi padre no tiene hermanos, es hijo único. Y los otros niños que ves en la foto son mis primos: Teresa y Diego, que son hijos de Alberto y Ana, y Carlos y Eva, la más pequeña, que son hijos de Esteban e Isabel.

Todos tienen muchas ganas de conocerte.

Mándame tú también una foto de tu familia.

Un abrazo,

Felipe

b. 📖 Vuelve a leer el mensaje y contesta a estas preguntas.

- ¿Cuántos hijos tiene Lucía?
- ¿Cuántos hermanos tiene Felipe?
- ¿Y Juan Antonio?
- ¿Cómo se llaman los tíos de Felipe?
- ¿Y sus primos?

2. El árbol genealógico

a. 📖 Completa el árbol genealógico de Felipe.

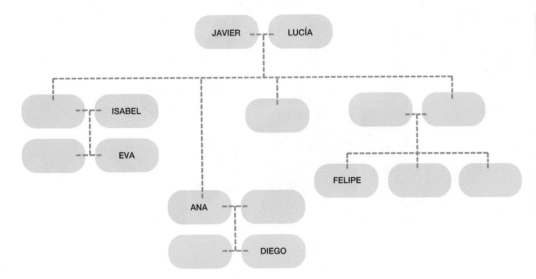

JAVIER — LUCÍA

ISABEL

EVA

ANA

DIEGO

FELIPE

b. G ¿Qué relación tiene cada uno con Lucía, la abuela? Escríbelo.

♦ *Felipe es nieto de Lucía.*

c. ⑬ Adriana enseña a sus compañeros de clase un álbum con las fotos
de su familia. Numera las fotos en el orden en el que se mencionan.

d. 🗨 Explica a tu compañero cuántos sois en tu familia. Él debe dibujar
tu árbol genealógico.

3. ¿Cómo son?

a.  V Relaciona cada texto con la foto correspondiente.

a. Este es Norberto, mi novio. Es alto y delgado. Es moreno y tiene los ojos oscuros. Lleva gafas.

b. Este es Ángel, es mi hermano. Tiene el pelo castaño, liso y corto. Tiene barba y lleva gafas.

c. Esta es mi prima. Es rubia y tiene el pelo rizado. Es un poco bajita.

d. Esta es mi hermana, Rosa. Tiene el pelo moreno y corto, y los ojos verdes.

b. V **Elige a una persona de la clase y descríbesela a tu compañero. Él tiene que adivinar de quién se trata.**

- *Es bajita y morena.*
- *¿Es Katie?*
- *Sí.*

c. V **Relaciona cada adjetivo con el de significado contrario.**

simpático/a	aburrido/a
alegre	tímido/a
divertido/a	pesimista
generoso/a	bromista
serio/a	antipático/a
extravertido/a	vago/a
trabajador/ora	egoísta
optimista	triste

d.  **Escribe en un papel los nombres de tres personas importantes para ti. Intercámbialo con tu compañero y averigua quiénes son esas personas, cómo son, qué relación les une…**

JOHANNA

LUCY

ALFRED

- *¿Quién es Johanna?*
- *Es mi sobrina.*

- *¿Y cómo es?*
- *Pues es muy simpática y muy divertida.*

4. ¿A quién te pareces?

a. 📖 G Katia y sus compañeros de piso están viendo fotografías de sus familias. Lee lo que dicen y trata de completar la conversación.

Katia: Yo me parezco a mi padre en el carácter: .... tímidos y muy sinceros; pero en el físico me parezco a mi madre: las dos somos bajitas, rubias y .... la nariz pequeña.

Eva: Pues yo .... en todo a mi madre: somos altas, delgadas y muy extrovertidas, y las dos .... el pelo corto. Y tú, Juan, ¿a quién te pareces? ¿A tu padre o a tu madre?

Juan: Yo no me parezco nada ni a mi padre ni a mi madre; .... a mi abuelo. Tenemos la misma cara, las manos pequeñas, el pelo igual, pero mi abuelo no .... bigote.

Joaquín: Pues yo me parezco a mi padre y a mi abuelo. Los tres somos altos, delgados y muy serios, y los tres .... gafas. ¿Y tú a quién .... , Estefanía?

Estefanía: A mi hermana. Somos gemelas y .... en todo. Tenemos la boca pequeña, las manos gorditas y la nariz redonda, y .... muy cariñosas y divertidas.

GRAMÁTICA G
Presente de indicativo

	Parecerse
(yo)	me parezco
(tú)	te pareces
(él, ella, usted)	se parece
(nosotros/as)	nos parecemos
(vosotros/as)	os parecéis
(ellos/as, ustedes)	se parecen

b. G Compara los resultados con tu compañero.

c. (14) Escucha y comprueba.

d. 🗨 Trae a clase fotos de tu familia y enséñaselas a tus compañeros. ¿A quién creen que te pareces más?

GRAMÁTICA G
Demostrativos

SINGULAR	
Masculino	**Femenino**
este	esta

PLURAL	
Masculino	**Femenino**
estos	estas

◆ *Estos son mis padres y esta es mi hermana.*
◆ *Yo creo que te pareces más a tu padre.*
◆ *Pero en los ojos te pareces a tu madre.*

5. Invitaciones

a. Lee estas invitaciones. ¿Para qué son?

Para la inauguración de una exposición.	☐
Para la inauguración de una galería de arte.	☐
Para una fiesta de cumpleaños.	☐
Para ir a un karaoke.	☐

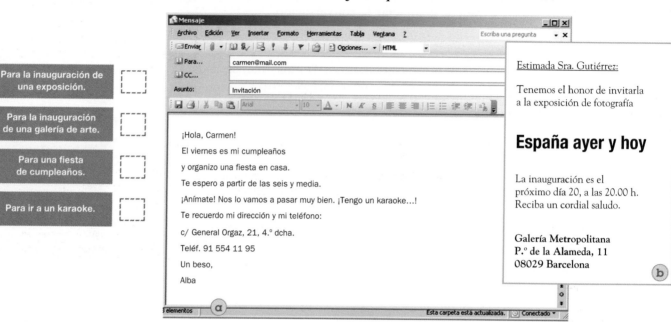

¡Hola, Carmen!

El viernes es mi cumpleaños

y organizo una fiesta en casa.

Te espero a partir de las seis y media.

¡Anímate! Nos lo vamos a pasar muy bien. ¡Tengo un karaoke...!

Te recuerdo mi dirección y mi teléfono:

c/ General Orgaz, 21, 4.º dcha.

Teléf. 91 554 11 95

Un beso,

Alba

Estimada Sra. Gutiérrez:

Tenemos el honor de invitarla a la exposición de fotografía

España ayer y hoy

La inauguración es el próximo día 20, a las 20.00 h. Reciba un cordial saludo.

Galería Metropolitana
P.º de la Alameda, 11
08029 Barcelona

b. Subraya los saludos y despedidas de los textos anteriores. ¿En qué se distinguen?

c. (15) Alba llama a varios amigos para invitarlos a su fiesta. Escucha las conversaciones y completa esta tabla.

	ACEPTA LA INVITACIÓN	LA RECHAZA
Guadalupe		
Roberto		
Teresa		
Jaime		

d. Estas expresiones sirven para aceptar o rechazar una propuesta. Clasifícalas.

Vale.

No puedo, lo siento.

¡Qué bien!

No puedo, es que tengo planes.

┌─────────────────────────┐
│ ACEPTAR UNA PROPUESTA │
└─────────────────────────┘

┌─────────────────────────┐
│ RECHAZAR UNA PROPUESTA │
└─────────────────────────┘

e. Anota en tu agenda tus compromisos para esta semana. Después, elige una actividad que te apetece hacer fuera de clase, piensa cuándo puedes hacerla y propónsela a tus compañeros. ¿Has encontrado a alguien que quiera acompañarte?

- ¿Quieres ir al cine el martes por la tarde?
- El martes no puedo. Es que voy a cenar con Claire.
- ¿Y si vamos el jueves?
- Vale, muy bien.

6. El cumpleaños

a. Mirad esta fotografía y responded a estas preguntas.

- ¿Quién es la persona que celebra su cumpleaños?
- ¿Qué relación le une al resto de personas que aparecen en la fotografía?
- ¿Qué hace?

b. [C] ¿Para qué crees que se emplean estas expresiones? Pon en cada columna el título correspondiente.

			PARA ENTREGAR UN REGALO
–¡Feliz cumpleaños!	–Toma, esto es para ti.	–¡Qué bonito! Muchas gracias.	PARA DAR LAS GRACIAS POR UN REGALO
–¡Muchas felicidades!			PARA FELICITAR EL CUMPLEAÑOS

c. [Cs] ¿Cómo se celebra el cumpleaños normalmente en tu país? Coméntalo con tus compañeros.

- *En mi país hacemos una tarta, ponemos velas y la persona que celebra su cumpleaños pide un deseo y sopla las velas.*
- *Pues en mi país cantamos una canción.*

d. [V] Haz una lista con los mejores regalos de cumpleaños que te han hecho. Puedes usar un diccionario.

e. Compara tu lista con las de tus compañeros de grupo. ¿Cuáles son los regalos más originales?

f. Pensad posibles regalos de cumpleaños para cada uno de los miembros de otro grupo. Tened en cuenta todo lo que sabéis de ellos, su forma de ser... Luego, dibujad los regalos en un papel.

- *A Mary le podemos regalar una agenda, porque es muy ordenada.*
- *O un reloj.*

g. Entregaos los regalos.

7. Actores españoles e hispanoamericanos

a. 🔲 Cs ¿Conocéis a alguno de estos personajes? Comentad lo que sabéis sobre ellos.

HÉCTOR ALTERIO

ERNESTO ALTERIO

MALENA ALTERIO

FAMILIA BARDEM

b. 📖 Cs Seguid las instrucciones de vuestra tarjeta.

PINCELADAS

■ A **Malena Alterio** (1974, Argentina) la fama en España le llega con la serie de televisión *Aquí no hay quien viva*, gracias a la que obtiene el premio a la Mejor Actriz Secundaria de la Unión de Actores en 2004 y el Premio a la Mejor Actriz de la Academia de Televisión Española en 2005.

■ **Ernesto Alterio** (1970, Argentina) trabaja en el teatro, el cine y la televisión. Ha sido candidato al Premio Goya al Mejor Actor Revelación por su papel en la película *El cuarteto de La Habana* (1999) y al Mejor Actor por *El otro lado de la cama* (2002).

■ **Pilar Bardem** (1939, Sevilla) consigue el título de Mejor Actriz Secundaria del año en los Premios Goya en 1996. A partir de entonces se le acumulan las ofertas, y no deja de trabajar tanto en el cine como en series de televisión y teatro. En 2004 gana el premio a la Mejor Actriz del Festival de Cine de Valladolid y una candidatura al Goya por la película *María, querida* (2004), de José Luis García Sánchez.

Alumno A

Lee este fragmento de un artículo sobre la trayectoria artística de Héctor Alterio. Tu compañero te va a hacer luego unas preguntas.

HÉCTOR ALTERIO

Héctor Benjamín Alterio Onorato nace el 21 de septiembre de 1929 en Buenos Aires (Argentina). Allí estudia Arte Dramático y se forma como el gran actor que ahora es. Ha trabajado en más de cien películas. A los 25 años rueda su primer cortometraje. Doce años más tarde, en 1967, hace su primera aparición en una película. Rápidamente se convierte en una de las mayores figuras argentinas. En 1974 se exilia a España. En 1977 consigue un premio en el festival de San Sebastián por la película *A un Dios desconocido*, de Jaime Chávarri.

Desde el final de la dictadura argentina, Héctor Alterio suele viajar dos veces al año a su país natal, aunque sigue viviendo en España y trabaja desde entonces tanto en producciones argentinas como españolas. El relevo en su familia está asegurado gracias a sus hijos que siguen sus pasos: Ernesto Alterio y Malena Alterio.

Pregunta a tu compañero:

1. ¿A qué se dedica Javier Bardem?
2. ¿De dónde es?
3. ¿Tiene algún premio internacional de cine?

Alumno B

Lee este fragmento de un artículo sobre la trayectoria artística de Javier Bardem. Tu compañero te va a hacer luego unas preguntas.

JAVIER BARDEM

El actor español Javier Bardem es miembro de una familia tradicionalmente vinculada al mundo del cine. Su madre es la actriz Pilar Bardem. Sus abuelos, Rafael Bardem y Matilde Muñoz Sanpedro, también son actores. Además, es sobrino del director de cine Juan Antonio Bardem, y sus hermanos, Mónica y Carlos, también se dedican a la interpretación.

Javier Bardem alcanza la popularidad con la película de Bigas Luna *Jamón, jamón* (1992). En el 2000 gana la Copa Volpi en el Festival de cine de Venecia por la película *Antes que anochezca*, que representa su consagración internacional. En 2003 obtiene el Premio Goya a la mejor interpretación masculina por su papel en *Los lunes al sol*. En 2004 consigue de nuevo la Copa Volpi por *Mar adentro*, papel con el que también gana el Goya al mejor actor.

Pregunta a tu compañero:

1. ¿A qué se dedica Héctor Alterio?
2. ¿Dónde vive?
3. ¿A qué se dedican sus hijos?

8. Las familias del siglo XXI

a. [V] **En parejas, relacionad cada tipo de familia con su explicación.**

Familia nuclear clásica ▪   ▪ familia en la que uno o más de los hijos es adoptado.

Familia reconstruida ▪   ▪ familia en la que la madre y el padre proceden de culturas distintas.

Familia monoparental ▪   ▪ familia compuesta por un hombre y una mujer casados y con voluntad de tener hijos.

Familia adoptiva ▪   ▪ familia con un solo progenitor, generalmente mujer, con hijos a su cargo.

Familia mestiza ▪   ▪ familia formada por un hombre y una mujer en la que, al menos, uno de los miembros ha estado casado anteriormente.

b. [BLA BLA BLA] [Cs] **¿Existen los mismos tipos de familia en tu país? ¿Existen otros? ¿Cuál es el modelo mayoritario? Coméntalo con tus compañeros.**

PINCELADAS

▪ Según el censo del año 2001, la familia nuclear clásica sigue siendo el modelo mayoritario en España (el 45,6 % de los hogares), pero ya no es el único que se practica abiertamente y que goza de plena aceptación social. Más de un millón de personas viven en pareja sin estar casados. Uno de cada cinco bebés nace fuera del matrimonio. Hay casi medio millón de hogares encabezados por una persona (mujer, en un 87 %) divorciada con hijos a su cargo. Casi tres millones de españoles viven solos. Y más de diez mil hombres y mujeres declaran libremente que son homosexuales y que conviven con sus parejas afectivas del mismo sexo. El Congreso español aprobó en el año 2005 la ley que permite a las parejas homosexuales contraer matrimonio.

COMUNICACIÓN

Preguntar y decir el estado civil

◆ *¿Estás casado?*

◆ *No, estoy soltero.*

Identificar a una persona

◆ *Este chico es mi primo.*

◆ *Esta es mi hermana.*

Elogiar

◆ *¡**Qué** guapo (es)!*

◆ *¡**Qué** bonito (es)!*

Describir a una persona

◆ *Es alto/bajo (bajito)/gordo (gordito)/guapo/joven…*

◆ *Tiene los ojos azules/verdes/marrones/grandes…*

◆ *Tiene/Lleva el pelo largo/corto/liso/rizado…*

◆ *Tiene/Lleva gafas/barba/bigote…*

◆ *Es simpático/optimista/alegre…*

Hacer una propuesta

◆ *¿**Quieres** ir al cine esta tarde?*

◆ *¿**Vamos a** cenar fuera?*

◆ *¿**Por qué no** vienes a cenar a casa este fin de semana?*

Aceptar o rechazar una propuesta

◆ *Muchas gracias.*

◆ *No puedo, lo siento, es que tengo planes.*

Felicitar el cumpleaños

◆ *¡(Muchas) felicidades!*

VOCABULARIO

La familia

Padre, madre, hijo/a, nieto/a…

La descripción física

Bajo, alto, guapo…; pelo largo/corto/liso…;
ojos negros/verdes/grandes…

El carácter

Simpático, optimista, alegre…

GRAMÁTICA

Adjetivos posesivos

	Singular	Plural
(yo)	mi	mis
(tú)	tu	tus
(él, ella, usted)	su	sus
(nosotros/as)	nuestro/a	nuestros/as
(vosotros/as)	vuestro/a	vuestros/as
(ellos/as, ustedes)	su	sus

Artículo definido *(el, la, los, las)***/artículo indefinido**
(un, una, unos, unas)

◆ *Marina es la hermana de Felipe.*
(Marina no tiene más hermanos).

◆ *Marina es (una) hermana de Felipe.*
(Marina tiene más hermanos).

Muy, bastante, un poco

Muy + adjetivo

◆ *Alberto es muy alto.*

Bastante + adjetivo

◆ *Ana es bastante inteligente.*

Un poco + adjetivo con sentido negativo

◆ *Luis es un poco vago.*

Otro/a/os/as

Se usa para hablar de elementos nuevos que se añaden
a los ya mencionados.

◆ *Ana es hermana de Javier. Y esta es Eva, otra hermana
de Javier.*

Se puede combinar con los posesivos, pero no con el indefinido.

◆ *Este es mi otro hermano.*

◆ *Ese es un otro primo.*

Demostrativos

	SINGULAR		PLURAL	
	Masculino	**Femenino**	**Masculino**	**Femenino**
	este	esta	estos	estas

Exclamativos

Qué	¡Qué + adjetivo!
	◆ ¡Qué guapo!

Interrogativos

Quién/es	¿Quién/es + verbo?
	◆ ¿Quién es Frederic?
	◆ ¿Quiénes son estos?

Presente de indicativo

	Parecerse
(yo)	me parezco
(tú)	te pareces
(él, ella, usted)	se parece
(nosotros/as)	nos parecemos
(vosotros/as)	os parecéis
(ellos/as, ustedes)	se parecen

	Ser	Estar
(yo)	**soy**	estoy
(tú)	**eres**	estás
(él, ella, usted)	**es**	está
(nosotros/as)	**somos**	estamos
(vosotros/as)	**sois**	estáis
(ellos/as, ustedes)	**son**	están

Un juego de mesa

Presentación

Vais a elaborar un juego de español para jugar todos juntos.
¡A ver quién gana!

Instrucciones

1. Se forman grupos de tres o cuatro personas.

2. Cada grupo elabora preguntas sobre los contenidos trabajados en las unidades 0 a 3. Las preguntas se dividen en cuatro categorías; debéis elaborar seis preguntas de cada categoría.

Cada categoría tiene un color:

Vocabulario ■   Gramática ■   Comunicación ■   Cultura y sociocultura ■

3. Para elaborar las preguntas, primero hay que completar las actividades de las páginas siguientes.

4. Finalmente, podéis jugar con vuestros compañeros. Usad el tablero que hay en la página 50. ¡SUERTE!

Vais a necesitar:

- Un dado
- Fichas de juego
- Papel de colores
- Tijeras

Antes de empezar

Observad cómo juegan estos alumnos de español a su juego. ¿Sabéis contestar a sus preguntas?

¿Qué gesto se hace en español para decir «no lo sé»?

¿A quién le toca?

Me toca a mí.

¿Es correcta la oración «Estoy médico»?

Lo contrario de alegre es _____

Di cinco países donde se habla español.

Termina esta oración: «Estudio español para _____.»

Tira el dado.

No lo sé, paso.

Los días de la semana son: _____, martes, _____, jueves, _____, sábado y _____.

1. Preguntas de vocabulario

a. Completad este gráfico con todas las palabras que podáis recordar.

b. Ahora, elaborad seis preguntas sobre vocabulario. Podéis seguir estos modelos.

Di cinco palabras relacionadas con la familia.	Lo contrario de *alto* es …	Completa: …, martes, …, jueves, …	Completa esta palabra (es una profesión): a…og…d…	Di las dependencias que hay en tu escuela.	Relaciona palabras: taxista - coche; profesor - …

2. Preguntas de gramática

a. Completad estos cuadros. Podéis consultar las unidades 0 a 3 del libro del alumno y del cuaderno de actividades.

Interrogativos	Demostrativos	Artículos
¿Qué	Esta	El
¿Cómo?	Este	Las
….	….	….

Verbos	Sustantivos	Adjetivos	Posesivos
Hablar	Casa	Guapo/a, feo/a	Mi, mis
Llamarse	Padre	Alto/a, bajo/a	Tu
….	…	Grande, pequeño/a	…
		…	

b. Leed estos modelos de preguntas sobre gramática y elaborad seis tarjetas similares.

Completa: ◆ ¿Cómo te… (llamarse)? ◆ Me…	Conjuga el presente de indicativo del verbo *hacer*: yo…	Completa: ◆ Tengo clase de once… una.	Haz una pregunta con: ¿Qué? ¿Quién? ¿Cuándo?	¿Es correcta la oración «Estoy médico»?	Conjuga el presente de indicativo del verbo *ser*: yo…

3. Preguntas de comunicación

a. Para preparar las preguntas y respuestas sobre comunicación, contestad libremente a estas preguntas.

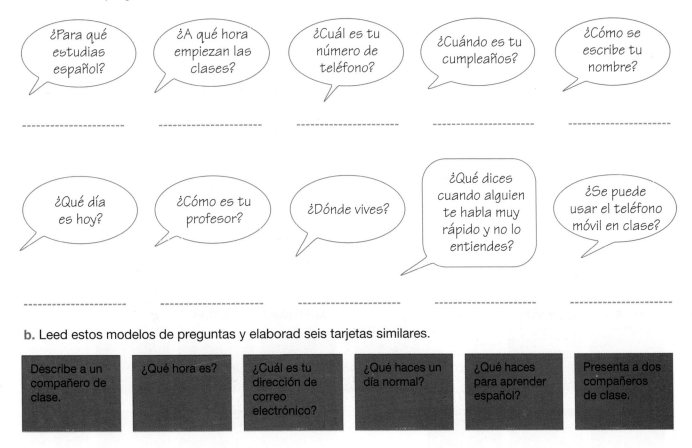

¿Para qué estudias español?

¿A qué hora empiezan las clases?

¿Cuál es tu número de teléfono?

¿Cuándo es tu cumpleaños?

¿Cómo se escribe tu nombre?

_____   _____   _____   _____   _____

¿Qué día es hoy?

¿Cómo es tu profesor?

¿Dónde vives?

¿Qué dices cuando alguien te habla muy rápido y no lo entiendes?

¿Se puede usar el teléfono móvil en clase?

_____   _____   _____   _____   _____

b. Leed estos modelos de preguntas y elaborad seis tarjetas similares.

Describe a un compañero de clase.	¿Qué hora es?	¿Cuál es tu dirección de correo electrónico?	¿Qué haces un día normal?	¿Qué haces para aprender español?	Presenta a dos compañeros de clase.

4. Preguntas de cultura y sociocultura

a. Para repasar algunos contenidos de cultura y sociocultura, revisa las unidades 0 a 3 del libro, copia los títulos de las actividades en esta tabla y, después, contesta a las preguntas que hay debajo.

U0	U1	U2	U3
El español, una lengua mestiza			
	Nombres y más		

- ¿Qué significa que el español es una lengua mestiza?
- ¿Qué significan las abreviaturas D., D.ª, Sr., Sra.?
- ¿Cómo se llama la primera etapa obligatoria del sistema educativo español?

b. Mirad estos ejemplos de preguntas que podemos hacer sobre cultura y sociocultura y elaborad seis tarjetas similares.

¿En cuántos países el español es lengua oficial?	¿Qué lenguas se hablan en España?	¿Qué gesto se hace en español para decir «No lo sé»?	¿A qué nombre propio corresponde la forma familiar *Pepe*?

5. Reglas del juego

1. El tablero está compuesto por casillas de diferentes colores, que corresponden al tipo de pregunta o instrucción:

Gramática ▢ Comunicación ◼ Vocabulario ▢ Cultura y sociocultura ▢ Tira otra vez ▢

2. Formad dos grupos.

3. Un miembro de cada grupo lanza el dado. El número más alto empieza a jugar.

4. El grupo A lanza el dado y mueve su ficha a la casilla correspondiente. El grupo B lee una pregunta de la categoría correspondiente. Si la respuesta es correcta, el grupo A continúa jugando. Si no, el turno pasa el equipo B.

5. Gana el equipo que llega antes a la meta y responde correctamente a una pregunta de cada color. Si no lo consigue, retrocede a la casilla 15 y continúa el juego.

6. ¡A jugar!

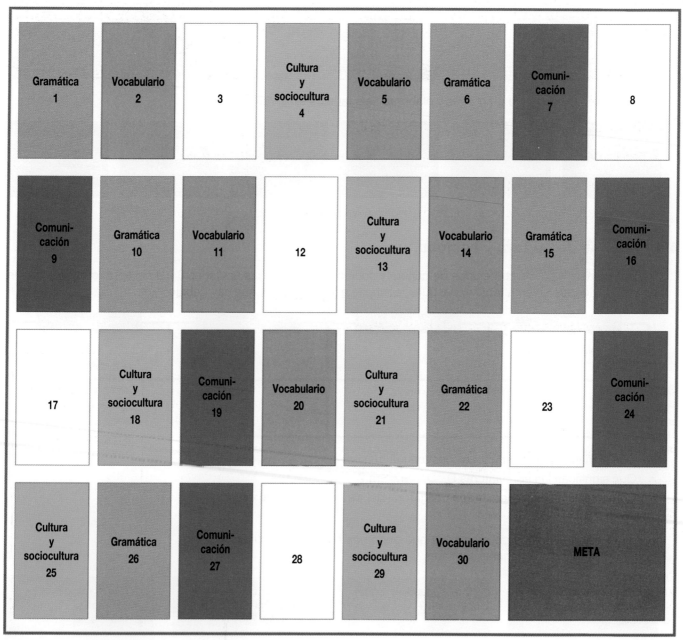

En esta unidad vas a aprender:

- ■ A desenvolverte en una tienda: pedir un producto, preguntar el precio, pedir una talla...

- ■ A explicar el tipo de ropa que te gusta

- ■ A pedir y dar información sobre el horario de los establecimientos públicos

- ■ Los números del 100 al 1000

- ■ A describir cómo va vestida una persona

- ■ Cómo son los mercados, mercadillos y centros comerciales en España e Hispanoamérica

- ■ Las tallas y unidades de medida que se utilizan en España

COMUNICACIÓN	GRAMÁTICA	VOCABULARIO	CULTURA Y SOCIOCULTURA	TEXTOS
Expresar necesidad Preguntar y responder sobre el horario de los establecimientos públicos Preguntar por la causa de algo y responder Pedir un producto Llamar la atención del interlocutor Preguntar y responder sobre el precio de un producto Expresar gustos y preferencias y expresar acuerdo o desacuerdo en los gustos	Los pronombres de objeto directo: *lo, la, los, las* Posición de los pronombres de objeto directo Preposiciones: *de/a* Presente de indicativo: *preferir, querer, costar, gustar* Artículo definido (*el, la, los, las*) + adjetivo Interrogativos: *qué, cuánto*	Departamentos de un gran almacén Los números del 100 al 1000 Los colores Las prendas de vestir y su descripción Las compras	Tipos de establecimientos comerciales de España e Hispanoamérica Las tallas y unidades de medida	Conversaciones cara a cara Carteles con horarios comerciales Directorio de un gran almacén

1. ¿Qué necesitas para ir de excursión?

COMUNICACIÓN
Expresar necesidad

♦ **Necesito** un saco de dormir.
♦ **Necesito** ir de compras.

C

a. V Eduardo y Clara van a ir de excursión a la montaña, a los Pirineos. ¿Qué creéis que necesitan llevar? Haz una lista con tu compañero. Os damos algunas ideas. Podéis utilizar el diccionario.

GRAMÁTICA
Los pronombres de objeto directo

	Masculino	Femenino
Singular	lo	la
Plural	los	las

G

Posición de los pronombres de objeto directo

Los pronombres de objeto directo pueden ir antes o después del verbo al que acompañan:

– Con las formas de indicativo van antes del verbo, como palabras independientes:
♦ **Los** tenemos.

– En las perífrasis verbales pueden ir antes del verbo conjugado, como palabras independientes, o después del infinitivo o gerundio, unidos con él en una sola palabra:
♦ **Las** tenemos que comprar. =
♦ Tenemos que comprar**las**.

b. 16 Escucha su conversación y marca en la tabla cuáles de estas cosas tienen y cuáles necesitan comprar.

	Ya lo tienen	Ya la tienen	Ya los tienen	Ya las tienen	Tienen que comprarlo	Tienen que comprarla	Tienen que comprarlos	Tienen que comprarlas
La tienda de campaña								
Las mochilas								
Las linternas								
El termo								
Los anoraks								
Los calcetines								

c. G Imaginad que sois vosotros los que vais de excursión a la montaña. Repasad todos juntos las cosas que necesitáis, las que ya tenéis y las que tenéis que comprar. Decidid quién lleva o compra cada cosa.

♦ ¿Quién lleva la tienda de campaña?
♦ La lleva Mario.
♦ ¿Quién compra la comida?
♦ La compro yo.

2. Departamentos y horarios de un gran almacén

a. (16) Vuelve a escuchar a Eduardo y a Clara. Toma nota de todas las cosas que necesitan comprar.

DIRECTORIO

7.º	Cafetería. Restaurante.
6.º	Hogar. Menaje. Textil. Electrodomésticos.
5.º	Deportes.
4.º	Zapatería.
3.º	Lencería.
2.º	Moda mujer.
1.º	Moda hombre.
B	Complementos. Joyería. Relojería. Perfumería y cosmética.
S	Supermercado de alimentación.

b. [V] ¿En qué departamentos de un gran almacén crees que pueden encontrar Eduardo y Clara las cosas que necesitan? Coméntalo con tu compañero.

c. [V] ¿Qué otras cosas se pueden comprar en los departamentos del directorio? Apunta una cosa para cada departamento. Pregunta o busca en el diccionario las palabras que no conoces. Intercambia la lista con tu compañero.

d. (17) [Cs] ¿Sabes qué horario suelen tener los grandes almacenes en España? Escucha otra conversación entre Eduardo y Clara y completa el horario del gran almacén al que quieren ir.

HORARIOS DE APERTURA

Laborables y sábados: de _____ a _____ h

Domingos y festivos: de _____ a _____ h

e. (17) Vuelve a escuchar la conversación entre **Eduardo y Clara** y contesta a las siguientes preguntas.

- ¿Cuándo quiere ir Clara a comprar?
- ¿Cuándo **prefiere** ir Eduardo? ¿Por qué?
- ¿Cómo van a ir? ¿Por qué?

f. [Cs] ¿Qué horario tienen los grandes almacenes en tu país? ¿Y las tiendas más pequeñas? Coméntalo con tus compañeros.

3. ¿Tienen ustedes cantimploras?

a. [V] Eduardo y Clara solo pueden gastar 300 euros. Poneos de acuerdo tu compañero y tú y decidid qué productos van a comprar con el dinero que llevan. ¿Cuánto habéis gastado al final? ¿Qué pareja de la clase ha gastado menos?

Tique de compra

1 saco de dormir
2 linternas
1 jersey
1 par de guantes
2 cantimploras
2 pares de calcetines

| 139,90 € | 37 € | 59,50 € | 55 € | 29 € | 3 € |
| 159,90 € | 24,90 € | 19,99 € | 24,99 € | 10,50 € | 4,50 € |

b. [C] Eduardo y Clara están en un gran almacén y empiezan su recorrido por los distintos departamentos. ¿Quién crees que dice cada frase, Eduardo o el vendedor?

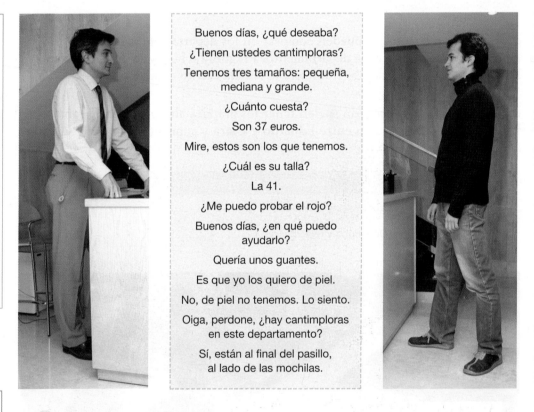

Buenos días, ¿qué deseaba?

¿Tienen ustedes cantimploras?

Tenemos tres tamaños: pequeña, mediana y grande.

¿Cuánto cuesta?

Son 37 euros.

Mire, estos son los que tenemos.

¿Cuál es su talla?

La 41.

¿Me puedo probar el rojo?

Buenos días, ¿en qué puedo ayudarlo?

Quería unos guantes.

Es que yo los quiero de piel.

No, de piel no tenemos. Lo siento.

Oiga, perdone, ¿hay cantimploras en este departamento?

Sí, están al final del pasillo, al lado de las mochilas.

COMUNICACIÓN [C]
Pedir un producto

- ¿**Tienen** (ustedes) cantimploras?
- ¿**Hay** cantimploras en este departamento?
- **Quería** una cantimplora.

Llamar la atención del interlocutor

- Oiga…
- Perdone…
- Por favor…

c. (18) Escucha ahora las conversaciones y comprueba tu respuesta.

d. (18) Vuelve a escuchar las conversaciones y completa la tabla.

	¿QUÉ BUSCA EDUARDO?	¿TIENEN EL PRODUCTO QUE BUSCA?
1.		
2.		
3.		
4.		

4. Las prendas de vestir

a. [V] En el gran almacén donde están Eduardo y Clara hay un desfile de moda.
Observa a los modelos y describe la ropa que llevan. Busca las palabras que
necesites en el diccionario. Compara tu descripción con la de tu compañero.

VOCABULARIO [V]
Los colores

	Singular		Plural
Masculino	**Femenino**	**Masculino**	**Femenino**
blanco	blanca	blancos	blancas
negro	negra	negros	negras
rojo	roja	rojos	rojas
amarillo	amarilla	amarillos	amarillas
gris		grises	
marrón		marrones	
azul		azules	
rosa		rosas	
naranja		naranjas	
violeta		violetas	
verde		verdes	

Las prendas de vestir

Prenda	Material	Forma
abrigo	pana	largo/a
cazadora	algodón	corto/a
chaqueta	lana	estrecho/a
gabardina	piel	ancho/a
jersey	seda	ajustado/a
camisa		
camiseta		
traje (de chaqueta)		
pantalones		
(pantalones) vaqueros		
falda		
vestido		
zapatos		
botas		
calcetines		

◆ *Lleva un pantalón de pana marrón.*

b. (19) Escucha ahora al presentador del desfile y numera a los modelos según su
orden de aparición.

c. [V] Describe a tu compañero cómo va vestido hoy alguien de tu clase. Él debe
adivinar de quién se trata.

5. Me gusta ese jersey

a. **20** Eduardo y Clara comentan el desfile. Escucha su conversación. Anota qué prendas le gustan a cada uno y las que no.

A CLARA LE GUSTA/N...	A EDUARDO LE GUSTA/N...
A CLARA NO LE GUSTA/N...	A EDUARDO NO LE GUSTA/N...

COMUNICACIÓN

Expresar gustos y preferencias y expresar acuerdo o desacuerdo en los gustos

- *A mí me gustan (mucho) los pantalones naranjas.*
- *A mí **también**.*
- *Pues a mí no me gustan nada. Yo prefiero los azules.*

- *A mí **no** me gustan (nada) los zapatos marrones.*
- *A mí **tampoco**.*
- *Pues a mí sí.*

C

b. ¿Qué ropa te gusta? Coméntalo con tu compañero.

- ◆ *Me gusta la ropa cómoda: las zapatillas de deporte, los vaqueros, las camisetas...*
- ◆ *A mí también me gustan los vaqueros.*

GRAMÁTICA

Verbo *gustar*

G

(a mí)			me	gusta	+ sustantivo singular + infinitivo
(a ti)			te		
(a él, ella, usted)	(no)		le		
(a nosotros/as)			nos		
(a vosotros/as)			os	gustan	+ sustantivo plural
(a ellos/as, ustedes)			les		

Clásico/a

Prefieres las prendas que no pasan de moda. Te gustan los trajes de chaqueta y los colores oscuros: el azul marino, el marrón, el gris...

Urbano/a

Te gusta la ropa cómoda. Siempre llevas unos vaqueros, una camiseta y un jersey.

Moderno/a

Te gusta ir a la moda y llamar la atención. Te gusta el color verde, el naranja, el amarillo...

c. Lee las siguientes descripciones y piensa en cómo es tu compañero por su forma de vestir y díselo. ¿Está él de acuerdo?

- ◆ *Eres una persona urbana. Te gusta la ropa cómoda.*

6. ¿Me puedo probar el rojo?

a. [C] Observa estas escenas en un gran almacén y completa los diálogos.
Después, compara los resultados con tu compañero.

ESTRATEGIAS [E]

Seguro que has comprado ropa muchas veces: es una situación familiar. Es muy útil predecir lo que te van a preguntar y lo que tú vas a pedir y a preguntar para entendernos en una conversación.

GRAMÁTICA [G]
Artículo definido
(*el*, *la*, *los*, *las*) + adjetivo

◆ *¿Me puedo probar el (jersey) rojo?*

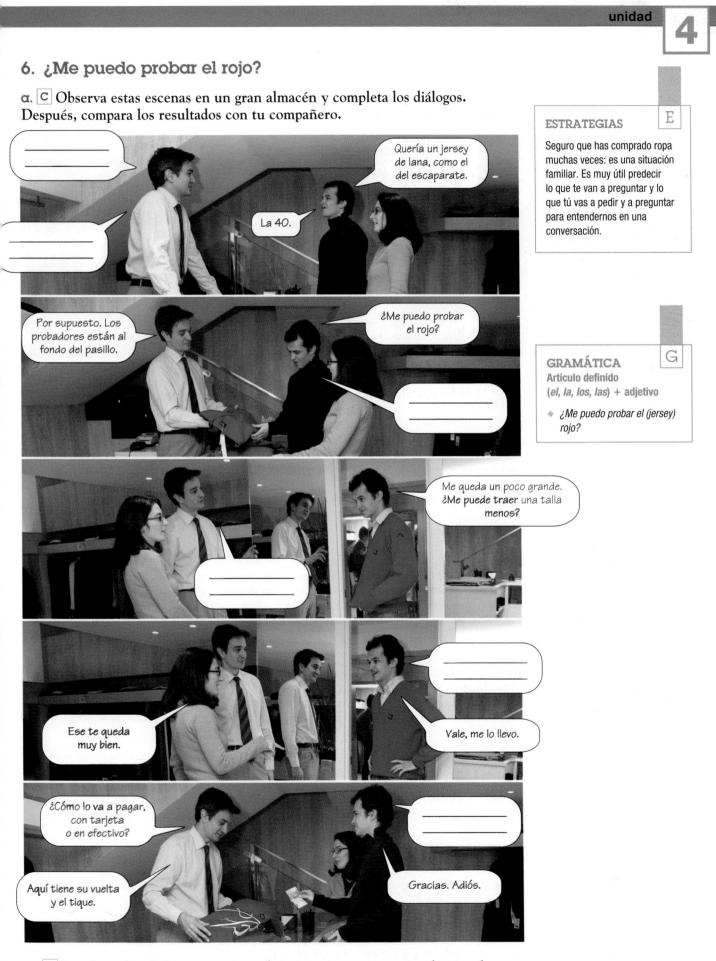

b. [E] Señala en los diálogos anteriores las expresiones que te pueden ayudar a desenvolverte en una tienda.

7. Mercados, mercadillos y centros comerciales

a. [V] Observad las fotografías. ¿Dónde están tomadas: en un centro comercial, en un mercado o en un mercadillo?

b. Lee las descripciones y relaciona cada una con su fotografía correspondiente.

ⓐ El edificio de las Galerías Pacífico fue declarado Monumento Nacional en 1989. Construido en 1880 por el arquitecto Emilio Angrelo, el diseño de las Galerías Pacífico es un ejemplo de la grandeza urbanística que marcó Buenos Aires a finales del siglo XIX. Los murales de la cúpula, realizados por los maestros Juan Carlos Castagnino, Antonio Berni, Juan Colmeiro y Lino E. Spilimbergo en 1946, son un símbolo del lugar. En la actualidad el edificio es un gran centro comercial, con más de 150 locales de primeras marcas argentinas e internacionales, y cultural. En su interior se encuentra el Centro Cultural Borges.

ⓑ Los sábados parecen ser días de fiesta en la ciudad de Oaxaca, ya que por el centro de la ciudad nos podemos encontrar mujeres indígenas que se aparecen con sus largos huipiles rojos en su camino al mercado o tianguis que se realiza en la explanada del Mercado de Abastos. Allí es posible encontrar productos de todo el estado: frutas exóticas, verduras, piezas de barro, ropa y una gran variedad de artículos. El mercado o tianguis es una institución fundamental en la sociedad mexicana. Es un lugar de encuentro y comunicación, un espacio de intercambio.

ⓒ El mercado de Santa Caterina está situado en medio de la Ciutat Vella de Barcelona. Construido sobre un convento del cual ha tomado el nombre, se inauguró el 1848. En la actualidad, tras una gran reforma proyectada por los arquitectos Enric Miralles y Benedetta Tagliabue, el mercado se ha convertido en un moderno edificio en el que no solo se puede comprar una gran variedad de productos, sino que también es un espacio en el que pasear, tomar algo y contemplar los restos del antiguo convento de Santa Caterina.

■ Según las últimas estadísticas, la mayoría de los españoles realiza sus compras de alimentación en supermercados, un 42,3 %, o en tiendas especializadas de la calle, un 25,3 %; un 14,5 % compra en el mercado de su barrio y tan solo un 1 % acude a los mercadillos con frecuencia.

c. [Cs] ¿Existen mercados, mercadillos o centros comerciales similares en tu país? ¿Compras en ellos? ¿Qué compras? Coméntalo con tus compañeros.

PINCELADAS

■ En Argentina, las compras en los centros comerciales representan apenas el 8 % de las compras, frente al 25 % de Francia y el 55 % de los Estados Unidos.

■ En los tianguis y bazares mexicanos, cuya tradición se remonta a la época prehispánica, se pueden encontrar desde productos artesanales y artículos de uso personal hasta antigüedades, aparatos electrónicos y especias para cocinar. En ellos es posible regatear.

8. Tallas y unidades de medida

a. [BLA BLA BLA] [Cs] **Mira las tablas de equivalencia de tallas. Responde a las preguntas y comenta la respuesta con tus compañeros.**

- Mira las etiquetas de la ropa que llevas puesta. ¿Qué sistema de tallas utiliza? ¿Es alguno de los de la tabla?
- ¿Qué sistema de tallas se utiliza en tu país?
- ¿Cuál es tu número de zapato según la talla europea? ¿Y el de tu compañero?

Tabla de equivalencias de tallas: moda hombre/joven

Pantalón	Medida cintura (cm)	76	80	84	88	92	96	100	104	108
	Talla europea	38	40	42	44	46	48	50	52	54
	Talla norteamericana	S		M		L		XL		XXL

Camisa o jersey	Medida cuello (cm)		37	38	39	40	41	42	43	44	45
	Talla europea		37	38	39	40	41	42	43	44	45
	Talla norteamericana		2		3		4		5		6	

Tabla de equivalencias de tallas: moda mujer/joven

Pantalón, falda, camisa o jersey	Contorno pecho (cm)	78-80	81-84	85-88	89-92	93-96	97-100	101-104
	Contorno cadera (cm)	85-88	89-92	93-96	97-100	101-104	105-108	109-114
	Talla europea	36	38	40	42	44	46	48
	Talla norteamericana	XXS	XS	S	M	L	XL	XXL

Tabla de equivalencias de tallas: calzado hombre/joven

Talla europea	39	40	41	42	43	44	45
Talla norteamericana	60	65	75	80	90	95	105

Tabla de equivalencias de tallas: calzado mujer/joven

Talla europea	35	36	37	38	39	40	41
Talla norteamericana	50	60	65	75	80	90	95

(Fuente: http://www.aecoc.es/)

b. [V] **Escribe los símbolos del sistema internacional de unidades.**

UNIDAD DE CAPACIDAD: LITRO	[ ]	UNIDAD DE LONGITUD: METRO	[ ]	UNIDAD DE MASA: KILOGRAMO	[ ]

c. [BLA BLA BLA] [Cs] **¿Conoces otras unidades de medidas y sus equivalencias con las unidades del sistema internacional? Coméntalo con tus compañeros.**

GALÓN	YARDA	MILLA	LIBRA

PINCELADAS

- En el mundo se utilizan diversos sistemas de medida; sin embargo, cada vez más, se tiende a utilizar unas normas comunes para facilitar el intercambio de información y la exportación e importación de productos. Organizaciones nacionales, como AENOR (Asociación Española de Normalización y Certificación), europeas, como CEN (Comité Europeo de Normalización), e internacionales, como ISO (Organización Internacional de Normalización), son las encargadas de desarrollar esas normas.

COMUNICACIÓN

Expresar necesidad

◆ **Necesito** ir de compras.

◆ **Necesito** un saco de dormir.

Preguntar y responder sobre el horario de los establecimientos públicos

◆ **¿A qué hora** abre el centro comercial?

◆ Abre a las diez y cierra a las nueve.

◆ Abre de diez de la mañana a diez de la noche.

Preguntar por la causa de algo y responder

◆ **¿Por qué** no quieres ir el domingo a comprar?

◆ **Porque** prefiero ir a jugar un partido de tenis.

Pedir un producto

◆ **¿Tienen** (ustedes) cantimploras?

◆ **¿Hay** cantimploras en este departamento?

◆ **Quería** una cantimplora.

Llamar la atención del interlocutor

◆ Oiga…

◆ Perdone…

◆ Por favor…

Preguntar y responder sobre el precio de un producto

◆ ¿Cuánto cuesta?

◆ ¿Me puede decir el precio, por favor?

Expresar gustos y preferencias y expresar acuerdo o desacuerdo en los gustos

◆ (A mí) me gusta (mucho) el pantalón naranja.

◆ A mí **también**.

◆ Pues a mí no me gusta (nada). (Yo) prefiero el azul.

◆ (A mí) **no** me gustan los zapatos marrones.

◆ A mí **tampoco**.

VOCABULARIO

Departamentos de un gran almacén

Zapatería, hogar, perfumería, moda…

Los números del 100 al 1000

Cien, ciento cincuenta y nueve, doscientos…

Los colores

Blanco, verde, rojo, azul…

Las prendas de vestir y su descripción

Abrigo, chaqueta, jersey…; lana, piel, algodón…

Las compras

Pagar en efectivo, pagar con tarjeta, la vuelta…

GRAMÁTICA

Los pronombres de objeto directo

	Masculino	Femenino
Singular	lo	la
Plural	los	las

Posición de los pronombres de objeto directo

Los pronombres de objeto directo pueden ir antes o después del verbo al que acompañan:

– Con las formas de indicativo van antes del verbo, como palabras independientes:
  ◆ **Los** tenemos.

– En las perífrasis verbales pueden ir antes del verbo conjugado, como palabras independientes, o después del infinitivo o gerundio, unidos con él en una sola palabra:
  ◆ **Las** tenemos que comprar. = ◆ Tenemos que comprar**las**.

Preposiciones

◆ Abre **de** diez **de** la mañana **a** diez **de** la noche.

Presente de indicativo

	Preferir	Querer	Costar
(yo)	prefiero	quiero	—
(tú)	prefieres	quieres	—
(él, ella, usted)	prefiere	quiere	cuesta
(nosotros/as)	preferimos	queremos	—
(vosotros/as)	preferís	queréis	—
(ellos/as, ustedes)	prefieren	quieren	cuestan

	Gustar		
(a mí)		me	+ sustantivo
(a ti)		te	gusta singular
(a él, ella, usted)	(no)	le	+ infinitivo
(a nosotros/as)		nos	
(a vosotros/as)		os	gustan + sustantivo
(a ellos/as, ustedes)		les	plural

Artículo definido (el, la, los, las) + adjetivo

◆ ¿Me puedo probar el (jersey) rojo?

Interrogativos

Qué	¿Preposición + qué + verbo?
	◆ ¿Por qué no quieres ir el domingo a comprar?
	¿Preposición + qué + sustantivo?
	◆ ¿A qué hora abre el centro comercial?
Cuánto	¿Cuánto + verbo?
	◆ ¿Cuánto cuesta?

Nutrición y salud

En esta unidad vas a aprender:

- El nombre de los alimentos y de algunos platos de España e Hispanoamérica

- A preguntar y responder sobre gustos

- Cómo son los hábitos alimentarios de los españoles

- A quedar con una persona

- A desenvolverte en un bar o restaurante

- A preguntar por el estado de salud y a hablar de síntomas y enfermedades

- A hacer recomendaciones

- A reconocer algunos gestos y expresiones relacionados con la alimentación

COMUNICACIÓN	GRAMÁTICA	VOCABULARIO	CULTURA Y SOCIOCULTURA	TEXTOS
Preguntar y responder sobre gustos	Presente de indicativo: *encantar*, *doler*, *apetecer*, *encontrarse*	Alimentos y bebidas	La gastronomía española e hispanoamericana	Conversaciones cara a cara
Pedir y dar información sobre hábitos	*Muy/mucho*	Las comidas	Algunos gestos y expresiones relacionados con la alimentación	Textos informativos
Hacer una propuesta, rechazarla y proponer una alternativa o aceptarla y quedar	Perífrasis verbales: *hay que* + infinitivo, *tener que* + infinitivo, *deber* + infinitivo	Adverbios de cantidad		Programas radiofónicos
Pedir y dar información acerca de los ingredientes de un plato	Oraciones condicionales: *si* + presente, presente	Las partes del cuerpo		Cuestionario de salud
Pedir algo en un bar o restaurante	Interrogativos: *qué*, *cuántos/as*, *cómo*, *cuándo*, *dónde*	Síntomas, enfermedades y remedios		Receta de cocina
Pedir la cuenta		Medidas y cantidades		
Preguntar por el estado de salud y hablar de síntomas y enfermedades		La mesa y los cubiertos		
Hacer recomendaciones				

1. La dieta mediterránea

a. V En parejas, completad los nombres de los productos con las vocales
que faltan.

m…nz…n…   t…m…t…   l…nt…j…s   p…ll…   s…rd…n…   …c……t…   y…g…r   …zúc…r

l…ch…   …rr…z   m…lón   qu…s…   l…ch…g…   h……v…s   p…st…   p…n

b. V Lee el siguiente texto sobre la dieta mediterránea y complétalo
con las palabras que te damos.

verduras

fruta

carne

pescado

legumbres

La dieta mediterránea

La dieta mediterránea es típica de países como España, Italia o Grecia. Muchos especialistas
la consideran el mejor modelo de dieta equilibrada. Incluye _____ (manzanas, naranjas,
uvas, melón…), _____ abundantes (lechuga, pimientos, tomates, zanahorias…) y _____
(judías, lentejas y garbanzos). La _____, de ternera, de cerdo y de pollo, y el _____
(merluza, sardina, lubina…) se comen con moderación. Para cocinar los alimentos y añadir a las
ensaladas se utiliza el aceite de oliva, que tiene muchas propiedades beneficiosas para la salud.

c. 21 En el programa de radio *La salud es lo primero*
han hecho una encuesta sobre si a la gente le gusta
la fruta o no. Escucha las entrevistas y marca las
respuestas en la tabla.

	LE GUSTA	NO LE GUSTA
1.ª persona		
2.ª persona		
3.ª persona		
4.ª persona		
5.ª persona		

d. G Ordena estas oraciones.

Me gusta bastante la fruta.

Me encanta la fruta.

Me gusta mucho la fruta.

No me gusta nada la fruta.

No me gusta la fruta.

+ _____
_____
_____
_____
– _____

e. Pregunta a tus compañeros para saber si les gustan los productos de la dieta
mediterránea. Después, dibujad un gráfico con los resultados recogidos.

2. Las comidas en España

a. ¿Sabes cuántas comidas se hacen al día en España? ¿Y cuál es la más abundante? Coméntalo con tus compañeros.

b. Lee este texto sobre las comidas en España y comprueba tus hipótesis.

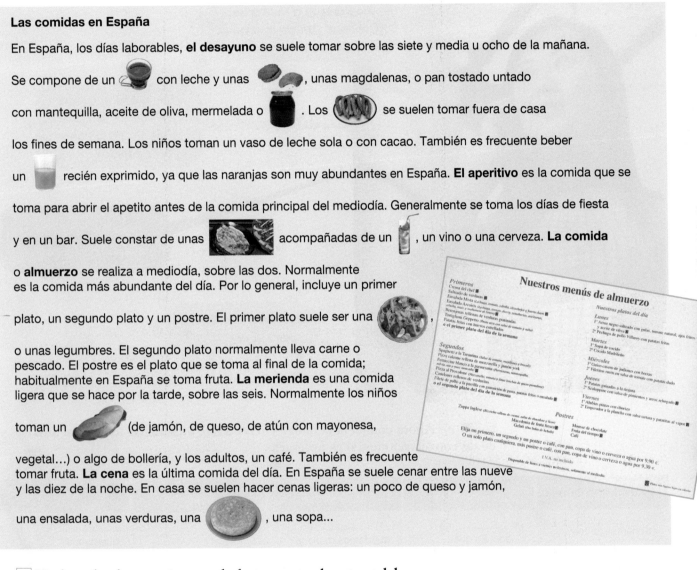

Las comidas en España

En España, los días laborables, **el desayuno** se suele tomar sobre las siete y media u ocho de la mañana.

Se compone de un ☕ con leche y unas 🍪, unas magdalenas, o pan tostado untado

con mantequilla, aceite de oliva, mermelada o 🍯. Los 🌭 se suelen tomar fuera de casa

los fines de semana. Los niños toman un vaso de leche sola o con cacao. También es frecuente beber

un 🥤 recién exprimido, ya que las naranjas son muy abundantes en España. **El aperitivo** es la comida que se

toma para abrir el apetito antes de la comida principal del mediodía. Generalmente se toma los días de fiesta

y en un bar. Suele constar de unas 🍽️ acompañadas de un 🥤, un vino o una cerveza. **La comida**

o **almuerzo** se realiza a mediodía, sobre las dos. Normalmente
es la comida más abundante del día. Por lo general, incluye un primer

plato, un segundo plato y un postre. El primer plato suele ser una 🥗,

o unas legumbres. El segundo plato normalmente lleva carne o
pescado. El postre es el plato que se toma al final de la comida;
habitualmente en España se toma fruta. **La merienda** es una comida
ligera que se hace por la tarde, sobre las seis. Normalmente los niños

toman un 🥖 (de jamón, de queso, de atún con mayonesa,

vegetal…) o algo de bollería, y los adultos, un café. También es frecuente
tomar fruta. **La cena** es la última comida del día. En España se suele cenar entre las nueve
y las diez de la noche. En casa se suelen hacer cenas ligeras: un poco de queso y jamón,

una ensalada, unas verduras, una 🍳, una sopa...

Nuestros menús de almuerzo

c. Vuelve a leerlo y sustituye cada foto por una de estas palabras.

ZUMO DE NARANJA   ENSALADA   GALLETAS   CAFÉ   BOCADILLO   MIEL

TORTILLA   TAPAS   CHURROS   REFRESCO

d. Completa esta tabla y comenta con tus compañeros las semejanzas y diferencias entre los hábitos alimentarios en España y los de tu país.

| COMIDA | ESPAÑA | | TU PAÍS | |
	¿A QUÉ HORA SE HACE?	¿QUÉ SE TOMA?	¿A QUÉ HORA SE HACE?	¿QUÉ SE TOMA?
Desayuno				

COMUNICACIÓN   C

Pedir y dar información sobre hábitos

◆ *¿Cuántas veces comes al día?*
◆ *Como tres veces al día.*

◆ *¿Cuántos platos tomas en la comida?*
◆ *Dos platos y el postre.*

3. ¿Quedamos?

a. (22) Lee unos fragmentos de unas conversaciones telefónicas, escucha la grabación y relaciona cada uno con su respuesta correspondiente.

b. (22) |C| Ahora completa la tabla. Vuelve a leer y escuchar los fragmentos de las conversaciones, si es necesario.

HACER UNA PROPUESTA	RECHAZAR LA PROPUESTA	PROPONER UNA ALTERNATIVA	ACEPTAR LA PROPUESTA	QUEDAR
¿Cenamos juntos?	Lo _____, no puedo. Es que…	¿Y _____ quedamos mañana?	Vale.	¿_____ quedamos?
¿_____ a tomar un café esta tarde?		¿Quedamos otro día?	De acuerdo.	¿Cuándo quedamos?
¿Te _____ quedar en el bar do la esquina?		¿Por qué no quedamos mañana?	_____ bien.	¿Qué día quedamos?
				¿Dónde quedamos?
				¿Dónde nos vemos?
				¿A _____ hora quedamos?

c. ¿Con quién vas a salir? Escribe un mensaje SMS a tus compañeros de clase, proponles quedar hoy en algún sitio para tomar algo y espera sus respuestas.

4. En el restaurante o en el bar

a. [C] Observa estas fotografías. Ordénalas.

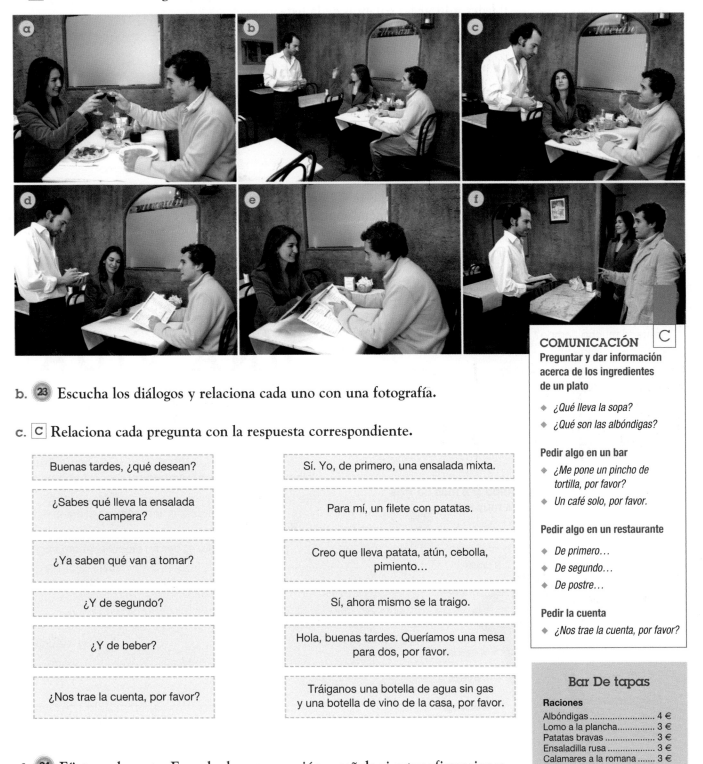

b. (23) Escucha los diálogos y relaciona cada uno con una fotografía.

c. [C] Relaciona cada pregunta con la respuesta correspondiente.

Buenas tardes, ¿qué desean?	Sí. Yo, de primero, una ensalada mixta.
¿Sabes qué lleva la ensalada campera?	Para mí, un filete con patatas.
¿Ya saben qué van a tomar?	Creo que lleva patata, atún, cebolla, pimiento…
¿Y de segundo?	Sí, ahora mismo se la traigo.
¿Y de beber?	Hola, buenas tardes. Queríamos una mesa para dos, por favor.
¿Nos trae la cuenta, por favor?	Tráiganos una botella de agua sin gas y una botella de vino de la casa, por favor.

COMUNICACIÓN [C]

Preguntar y dar información acerca de los ingredientes de un plato

◆ *¿Qué lleva la sopa?*
◆ *¿Qué son las albóndigas?*

Pedir algo en un bar

◆ *¿Me pone un pincho de tortilla, por favor?*
◆ *Un café solo, por favor.*

Pedir algo en un restaurante

◆ *De primero…*
◆ *De segundo…*
◆ *De postre…*

Pedir la cuenta

◆ *¿Nos trae la cuenta, por favor?*

Bar De tapas

Raciones

Albóndigas .... 4 €
Lomo a la plancha .... 3 €
Patatas bravas .... 3 €
Ensaladilla rusa .... 3 €
Calamares a la romana ...... 3 €
Pimientos del piquillo .... 3 €

Pinchos

De tortilla .... 2 €

Bebidas

Agua .... 1,50 €
Refresco .... 1,50 €
Cerveza .... 1,50 €
Copa de vino .... 1,50 €

d. (24) Fíjate en la carta. Escucha la conversación y señala si estas afirmaciones son verdaderas (V) o falsas (F).

	V	F
■ Elena va a tomar un pincho de tortilla.	☐	☐
■ Pedro no sabe qué son las patatas bravas.	☐	☐
■ El camarero les dice que no quedan calamares.	☐	☐
■ Al final Elena pide unas albóndigas.	☐	☐

5. La salud es lo primero

a. Escribe cinco recomendaciones generales para llevar una vida sana. Puedes utilizar las palabras de la lista.

1. _____
2. _____
3. _____
4. _____
5. _____

AGUA

EJERCICIO

PESCADO

FRUTA

DORMIR

b. 25 Escucha al experto del programa de radio *La salud es lo primero.* ¿Coinciden sus recomendaciones con las tuyas?

c. C Haz este test a tu compañero para saber si lleva una vida sana.

¿LLEVAS UNA VIDA SANA?

Alumno A

¿Te duelen las manos o brazos cuando estás en la cama o sentado mucho tiempo?

☐ Sí. ☐ No.

¿Te duelen las piernas cuando caminas o corres?

☐ Sí. ☐ No.

¿Te duele la cabeza frecuentemente?

☐ Sí. ☐ No.

¿Te duelen las muñecas, las rodillas o los codos cuando los mueves?

☐ Sí. ☐ No.

Si tu compañero ha contestado *sí* a más de tres preguntas, no lleva una vida muy sana.

Alumno B

¿Te duele el estómago después de comer?

☐ Sí. ☐ No.

¿Te pican los ojos cuando lees durante mucho tiempo?

☐ Sí. ☐ No.

¿Cuando te levantas rápido te mareas?

☐ Sí. ☐ No.

¿Te duele la espalda por la mañana?

☐ Sí. ☐ No.

Si tu compañero ha contestado *sí* a más de tres preguntas, no lleva una vida muy sana.

VOCABULARIO V

Las partes del cuerpo

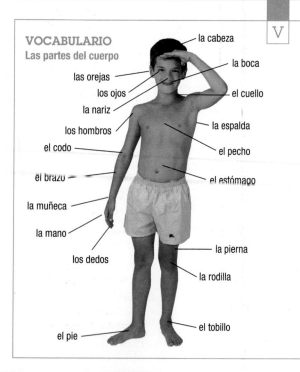

- la cabeza
- la boca
- las orejas
- los ojos
- el cuello
- la nariz
- los hombros
- la espalda
- el codo
- el pecho
- el brazo
- el estómago
- la muñeca
- la mano
- los dedos
- la pierna
- la rodilla
- el pie
- el tobillo

GRAMÁTICA G

Verbo *doler**

(a mí)		me	duele	+ sustantivo singular
(a ti)		te		
(a él, ella, usted)	(no)	le		
(a nosotros/as)		nos		
(a vosotros/as)		os	duelen	+ sustantivo plural
(a ellos/as, ustedes)		les		

*Fíjate: el verbo *doler* funciona igual que el verbo *gustar*.

6. La botica de la abuela

a. **C** Observad las fotos. ¿Dónde están en cada caso?

b. **26** **C** Escucha las conversaciones y marca el verbo correcto en cada caso.

	ESTOY...	TENGO...	ME DUELE...	ME DUELEN...	ME ENCUENTRO...
CANSADO/A, TRISTE, DEPRIMIDO/A					
BIEN, MAL					
LA CABEZA, EL ESTÓMAGO...					
LAS PIERNAS, LOS PIES...					
ENFERMO/A, RESFRIADO/A, MAREADO/A					
GRIPE, TOS, FIEBRE...					

c. **C** ¿Qué remedios caseros conocéis para estos problemas? Relacionad el principio con el final de cada frase.

SÍNTOMA O ENFERMEDAD	REMEDIO
Si tienes tos,	tienes que beber mucha agua y zumos de frutas.
Si te duele el estómago después de comer,	debes tomar un vaso de leche caliente.
Si no puedes dormir,	debes tomar una infusión con miel y limón.
Si estás acatarrado,	tienes que tomar una infusión de manzanilla.

d. ¿Tenéis otros problemas leves de salud? Preguntad a vuestros compañeros si conocen algún remedio casero que os pueda ayudar.

7. La gastronomía, un arte

a. ☐ Cs Lee este texto sobre la cocina vasca y busca ejemplos de alimentos para completar la tabla.

VERDURAS	LEGUMBRES	PESCADOS	PRODUCTOS LÁCTEOS	BEBIDAS

La cocina vasca

La cocina vasca está considerada como una de las de mayor prestigio internacional. Afirman quienes nos visitan que en el País Vasco se come muy bien.

En la cocina tradicional, basada en la calidad de sus productos y de sencilla elaboración, los productos del mar son los protagonistas (el bonito, el bacalao al pil pil y a la vizcaína, la merluza a la ondarresa...), sin olvidar las carnes, los productos ligados a la tierra, como las alubias y los pimientos, los derivados lácteos como el queso y la cuajada, y el chacolí. Estos y otros productos completan el sabroso recetario de la gastronomía tradicional.

En los años 70 y de la mano de un grupo de jóvenes cocineros deseosos de investigar, innovar y ampliar el recetario de la cocina tradicional y tras un primer contacto con la cocina francesa, surge lo que se denomina La Nueva Cocina Vasca, algunos de cuyos representantes son auténticas estrellas de la cocina (Jose María Arzak, Pedro Subijana, Karlos Arguiñano, etc.).

Una de las curiosidades de la cocina vasca son los pinchos, pequeñas raciones, servidas en la mayoría de los bares y restaurantes, que constituyen otra posibilidad de probar algunas de las exquisiteces de esta cocina. El País Vasco cuenta con una amplia oferta de restaurantes, asadores, marisquerías, sidrerías, bares, etc., para todos los gustos y bolsillos.

(Fuente: http://www.destinospaisvasco.com/gastronomia.php)

b. 🗨 Cs ¿Conoces algún otro cocinero famoso español o hispanoamericano? ¿Hay algún cocinero famoso en tu país? Coméntalo con tus compañeros.

c. ☐ Cs Lee esta receta mexicana y fíjate en la fotografías. ¿A qué plato crees que corresponde? Puedes utilizar el diccionario.

Ingredientes:

2 tazas de frijoles cocidos
1/3 de taza de caldo
1/4 de taza de aceite
8 tortillas de maíz

3/4 de queso fresco
3 cucharadas de cebolla picada
2 chiles
1/2 taza de crema

ENFRIJOLADAS   QUESADILLAS

Elaboración:

Se pone el aceite a calentar, se agregan los frijoles y se machacan.
Se les agrega el caldo y se deja guisar. Se introduce una tortilla de maíz en los frijoles y se deja diez segundos, se voltea y se deja otros diez segundos.
Se saca y se rellenan con queso, cebolla y chile y se hace un rollito.
Igual se hace con el resto. Se sirven caliente, y encima se les pone un poco de crema.

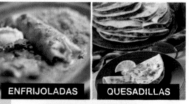

TACOS

d. ◁ Cs Busca la receta de tu plato favorito y tradúcela al español con ayuda del diccionario. Pásasela a tus compañeros para que puedan probarla.

PINCELADAS

■ España tiene en su gastronomía una de las manifestaciones más ricas de su legado histórico. Rica porque son muchas las civilizaciones que han dejado sus sabores y saberes y porque la diversidad de climas de la geografía española se traduce en una gran variedad de productos que constituyen la base de su dieta, una de las más sanas, según los expertos en nutrición.

■ Gracias a la herencia prehispánica y española, la gastronomía mexicana reúne los sabores de dos continentes en platillos delicados, coloridos y de gran sabor; de ahí que sea considerada como una de las más variadas y ricas del mundo. De hecho, la cocina mexicana ha sido postulada como Patrimonio Inmaterial y Oral de la Humanidad ante la UNESCO.

8. Gestos

a. [C] [Cs] Pensad qué gestos hacéis cuando decís estas expresiones. ¿Hacéis todos los mismos?

¡QUÉ RICO!	¿COMEMOS ALGO?	¡QUÉ HAMBRE!
¿TOMAMOS UN CAFÉ?	¡QUÉ SED!	¿ME PONES UN POCO MÁS, POR FAVOR?

b. [C] [Cs] Observa los gestos que hacen los españoles y relaciona cada fotografía con una de las expresiones anteriores.

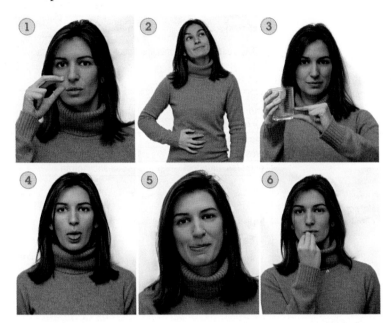

c. [C] Poneos todos en círculo. Uno dice una expresión y el resto debe hacer el gesto correspondiente.

9. Poner la mesa

a. [BLA BLA BLA] [Cs] ¿Cómo se colocan los cubiertos en la mesa en tu país? Coméntalo con tus compañeros.

b. [Cs] Lee estos consejos sobre cómo se debe poner la mesa y observa la fotografía. ¿Está bien puesta la mesa?

VOCABULARIO [V]
La mesa y los cubiertos

el mantel
la servilleta
el plato
la cuchara (sopera)
el tenedor (de postre)
el cuchillo (de postre)
la pala de pescado
el vaso de agua/vino
la copa de agua/vino

Cómo se pone la mesa

Hay que poner el plato en el centro y los tenedores a la izquierda en el orden en que se van a utilizar. Los cuchillos y la cuchara sopera se ponen a la derecha del plato, con la hoja del cuchillo hacia dentro. Si durante la comida se va a servir pescado y carne, se pone el cuchillo de la carne más cerca del plato y la pala del pescado al lado de este, con la hoja mirando hacia arriba. Luego se coloca la cuchara sopera, en la parte más alejada del plato, ya que se utiliza en primer lugar.

Los cubiertos de postre se colocan en la parte superior. El tenedor se coloca más cerca del plato con la punta mirando hacia la derecha y la cuchara encima de este mirando hacia la izquierda. El vaso o la copa de agua va a la izquierda, cerca del plato, y al lado el vaso o la copa de vino.

Las servilletas se pueden poner sobre el plato o a la derecha del mismo, sobre el mantel.

PINCELADAS

■ En cada cultura existen unas reglas de protocolo básicas tanto para poner una mesa como para comportarse durante las comidas. Por ejemplo, en España se considera de mala educación poner los codos sobre la mesa, jugar con los cubiertos mientras se come o masticar con la boca abierta.

COMUNICACIÓN

Preguntar y responder sobre gustos

- ¿*Te gusta la fruta?*
- *Sí, me encanta.*

Pedir y dar información sobre hábitos

- ¿**Cuántas veces** comes al día?
- *Tres.*

Hacer una propuesta, rechazarla y proponer una alternativa o aceptarla y quedar

- ¿*Vamos a cenar/te apetece cenar esta noche?*
- *Lo siento, no puedo. Es que… ¿Y si/Por qué no quedamos mañana?*
- *De acuerdo. ¿Cómo/Cuándo/Qué día/Dónde/A qué hora quedamos?*

Pedir y dar información acerca de los ingredientes de un plato

- ¿*Qué lleva la sopa?*

Pedir algo en un bar o restaurante

- ¿*Me trae un café solo, por favor?/Un café solo, por favor.*

Pedir la cuenta

- ¿*Nos trae la cuenta, por favor?*

Preguntar por el estado de salud y hablar de síntomas y enfermedades

- ¿*Qué te pasa?*
- *Me encuentro mal, me duele la cabeza y estoy cansado.*

Hacer recomendaciones de forma impersonal

- **Hay que** beber dos litros de agua al día.

Hacer recomendaciones personales

- *Si te duele el estómago, **tienes que** tomar manzanilla.*
- *Si tienes gripe, **debes** quedarte en la cama.*

VOCABULARIO

Alimentos y bebidas

Carne, leche, pescado, fruta, café, zumo de naranja, agua…

Las comidas

Desayuno, aperitivo, comida, cena…

Adverbios de cantidad

Mucho, bastante y nada.

Las partes del cuerpo

Cabeza, brazos, manos, piernas…

Síntomas, enfermedades y remedios

Tos, fiebre, gripe, catarro, jarabe, infusión…

Medidas y cantidades

Una taza de…; una docena de…, 1 kg de…

La mesa y los cubiertos

Cuchara, tenedor, cuchillo, mantel, servilleta…

GRAMÁTICA

Presente de indicativo

Encantar, doler, apetecer*

(a mí)		me	encanta	+ sustantivo
(a ti)		te	duele	singular
(a él, ella, usted)		le	apetece	+ infinitivo
(a nosotros/as)	(no)	nos		
(a vosotros/as)		os	encantan	+ sustantivo
(a ellos/as, ustedes)		les	duelen apetecen	plural

*Fíjate: estos verbos funcionan igual que el verbo *gustar*.

	Encontrarse
(yo)	me encuentro
(tú)	te encuentras
(él, ella, usted)	se encuentra
(nosotros/as)	nos encontramos
(vosotros/as)	os encontráis
(ellos/as, ustedes)	se encuentran

Muy/mucho

Muy + adjetivo/adverbio

- *Estoy muy cansado.*
- *Me encuentro muy mal.*

Verbo + **mucho**

- *Me duelen mucho las piernas.*

Perífrasis verbales

Recomendación impersonal: **hay que** + infinitivo

- *Hay que beber dos litros de agua al día.*

Recomendación personal: **tener que** + infinitivo; **deber** + infinitivo

- *Tienes que quedarte en la cama.*
- *Debes beber un vaso de leche caliente.*

Oraciones condicionales

Si + presente, presente

- *Si te duele la cabeza, debes descansar en una habitación sin luz.*

Interrogativos

Qué	¿*Qué* + verbo?
	¿*Qué te pasa?*
	¿*Qué* + sustantivo?
	¿*Qué día quedamos?*
	¿*Preposición* + *qué* + sustantivo?
	¿*A qué hora quedamos?*
Cuántos/as	¿*Cuántos/as* + sustantivo?
	¿*Cuántas veces comes al día?*
Cómo	¿*Cómo* + verbo?
	¿*Cómo estás?*
Cuándo	¿*Cuándo* + verbo?
	¿*Cuándo quedamos?*
Dónde	¿*Dónde* + verbo?
	¿*Dónde quedamos?*

Objetos de casa 6

En esta unidad vas a aprender:

- A dar y pedir información para identificar un objeto

- A describir un objeto: hablar de su forma, tamaño, material, color y a decir para qué sirve

- A preguntar y responder sobre la posesión de un objeto

- A preguntar por la elección de un objeto

- A dar instrucciones para manejar un aparato

- A describir las habitaciones y muebles de una casa

- Cómo es la artesanía española e hispanoamericana

- Cómo son las viviendas de España e Hispanoamérica

COMUNICACIÓN	GRAMÁTICA	VOCABULARIO	CULTURA Y SOCIOCULTURA	TEXTOS
Describir un objeto	Demostrativos: *este, esta, esto, ese, esa, eso, aquel, aquella, aquello…*	Objetos de uso cotidiano	La artesanía española e hispanoamericana	Conversaciones cara a cara
Hacer una afirmación señalando cierto grado de duda		Los electrodomésticos	Los tipos de vivienda	Instrucciones de un aparato
Dar información sobre la utilidad de un objeto	Pronombres posesivos: *mío/a, míos/as, tuyo/a…*	Las habitaciones de la casa y los muebles		Textos informativos
Preguntar por la elección de un objeto	Interrogativos: *qué, cuál/es*	Actividades relacionadas con los objetos y aparatos		
Valorar un objeto	*Hay/está(n)*	Adverbios y expresiones de lugar		
Poner un ejemplo				
Dar instrucciones				
Describir las habitaciones de una casa				

1. ¿Qué es esto?

a. V En parejas, relacionad cada objeto con el nombre correspondiente.

- UN RELOJ
- UNA LÁMPARA
- UNA CARTERA
- UNA AGENDA
- UN MARCO DE FOTOS
- UN FLORERO
- UNA COPA
- UN DESPERTADOR
- UNOS GUANTES

GRAMÁTICA
Demostrativos

| | SINGULAR | | PLURAL | |
Masculino	Femenino	Neutro	Masculino	Femenino
este	esta	esto	estos	estas
ese	esa	eso	esos	esas
aquel	aquella	aquello	aquellos	aquellas

- ¿Cómo se llama esto?
- No estoy segura, pero creo que es un despertador. Y tú, ¿sabes qué es un florero?
- Creo que es esto.

b. 27 Escucha varias conversaciones en un centro comercial y descubre a cuáles de los objetos del apartado anterior se refieren en cada caso.

OBJETOS
1.
2.
3.
4.

2. Describir objetos

a. [V] Uno de vosotros elige un objeto de la actividad 1. El resto tiene que descubrir cuál es haciendo preguntas a las que solo se puede responder *sí* o *no*.

- ◆ *¿Es de plástico?*
- ◆ *No.*
- ◆ *¿Es de madera?*
- ◆ *Sí.*

b. [E] ¿Qué haces cuando no conoces una palabra y necesitas usarla en una conversación? Márcalo en la lista del cuadro de estrategias o añade otras.

c. [E] Averigua si tus compañeros usan alguna estrategia que no conoces. ¿Crees que te puede servir?

d. [📖] Lee estas oraciones sobre objetos y aparatos que puede haber en una casa. ¿A qué objeto se refiere cada una? Puedes consultar el diccionario.

> ES ALGO PARA COMUNICARSE MEDIANTE LA VOZ.

> ES UNA COSA PARA CALENTAR LOS ALIMENTOS.

> ES UNA COSA PARA ESCUCHAR MÚSICA.

> ES ALGO PARA GUARDAR LAS MONEDAS Y LOS BILLETES.

> ES UNA COSA PARA GUARDAR LAS FOTOGRAFÍAS.

> ES ALGO PARA DORMIR POR LA NOCHE.

e. [E] En grupo, pensad en tres objetos que utilizáis normalmente y escribid frases como las anteriores. Después, leédselas a otro grupo. Ellos tienen que adivinar a qué objetos se refieren.

COMUNICACIÓN | C
Describir un objeto

Tamaño

- ◆ *Es grande/mediano/ pequeño…*

Forma

- ◆ *Es redondo/cuadrado/ alargado/rectangular…*

Material

- ◆ *Es de piel/plástico/cristal/ madera/lana…*

Dar información sobre la utilidad de un objeto

- ◆ ***Es algo (que sirve) para*** *comunicarse.*
- ◆ ***Es una cosa (que sirve) para*** *escuchar música.*

ESTRATEGIAS | E

Cuando no conozco una palabra y necesito usarla:

– la digo en mi lengua o en una lengua que conozco, por si se parece a la palabra en español

– hago gestos

– hago un dibujo

– doy una definición o hago una descripción

– pongo un ejemplo

– …

3. ¿De quién es esto?

a. 📖 ¿Qué palabras crees que se esconden en estas oraciones? Léelas y descubre a cuál de los objetos de las fotografías se refiere cada una.

◆ Me he encontrado unas sc,h%shcl&. ¿De quién son?

◆ Son mías.

◆ ¿De quién es esta sc,h%shcl&?

◆ Es mía.

◆ ¿Son vuestros estos sc,h%shcl&?

◆ No, no son nuestros.

◆ ¡Qué sc,h%shcl& tan bonito! ¿Es tuyo?

◆ Sí, es mío. ¿Te gusta?

GRAMÁTICA G
Pronombres posesivos

	Singular	Plural
(yo)	mío/a	míos/as
(tú)	tuyo/a	tuyos/as
(él, ella, usted)	suyo/a	suyos/as
(nosotros/as)	nuestro/a	nuestros/as
(vosotros/as)	vuestro/a	vuestros/as
(ellos/as, ustedes)	suyo/a	suyos/as

◆ *Este cuaderno es tuyo y estas llaves son suyas.*

b. G Fíjate en los ejemplos anteriores y en el cuadro de posesivos y transforma estas frases siguiendo el modelo.

- Este es mi bolígrafo.   ⇒ Es mío.
- Estos son mis libros.   ⇒ Son míos.
- Esa es mi carpeta.   ⇒ Es …
- Ese es tu cuaderno.   ⇒ Es …
- Esos bolígrafos son de Jorge.   ⇒ …
- Ese coche es de Ana y de su marido.   ⇒ …
- Esas maletas son de mis vecinos.   ⇒ …

c. G Entrega tres objetos personales al profesor. Él los va a mezclar todos y los va a repartir. ¡Sabes de quién es cada uno? Pregunta a tus compañeros para encontrar a los dueños y devolverles sus cosas.

◆ ¿Son tuyas estas llaves?

◆ No, no son mías. Creo que son de Richard.

◆ Richard, ¿estas llaves son tuyas?

◆ Sí, gracias.

4. Nos vamos de compras

a. (28) Alicia tiene casa nueva y está en Micasa, una tienda de decoración. Escucha y señala en la lista las cosas que compra.

- una alfombra
- una mesa de cocina
- unos vasos
- unos cubiertos

- una jarra de agua
- una vajilla
- un juego de café
- un mantel

b. C Lee este fragmento de la conversación anterior y complétalo con estas preguntas.

¿DE QUÉ COLOR LA QUIERE?	¿USTED CUÁL ME RECOMIENDA?
¿CUÁLES SON MÁS CAROS?	¿CUÁL PREFIERE?

◆ Buenos días. ¿Qué desea?

◆ Buenos días. Quería ver unos vasos y una vajilla.

◆ Venga conmigo. Tenemos varios modelos de vasos. Por ejemplo, estos. Y este modelo también se vende muy bien. ¿Qué le parecen?

◆ Sí... Estos son muy bonitos y los otros también. _____

◆ No hay mucha diferencia de precio, pero estos son un poco más caros. Cuesta tres euros más cada vaso.

◆ Sí, pero me gustan más. Me voy a llevar seis.

◆ Muy bien. Ahora vamos a ver las vajillas. Mire, si le gustan sencillas, tenemos esta en blanco y también en otros colores: en amarillo y en verde, creo. Y luego tenemos varios modelos con dibujo, son estas de aquí. _____

◆ Uf, no sé. _____

◆ Todas son buenas, pero esta se vende muy bien. Y se puede lavar en el lavaplatos.

◆ Entonces me llevo esta.

◆ _____

◆ Amarilla.

◆ Muy bien. ¿Algo más?

◆ No, nada más, gracias.

c. (28) Escucha de nuevo la conversación y comprueba tus hipótesis.

d. G En grupo, imaginad que vais a compartir piso. Mirad las fotografías y poneos de acuerdo para elegir los objetos que más os gustan.

◆ ¿Qué mesa te gusta más, esta o esta?

◆ Esta, es muy bonita.

◆ ¿Y tú, Karen? ¿Cuál prefieres?

◆ Yo también prefiero esta.

COMUNICACIÓN C

Preguntar por la elección de un objeto

◆ ¿**Qué** platos te vas a llevar?

◆ No sé. ¿**Cuáles** te gustan más a ti?

Valorar un objeto

◆ **Es** precioso/bonito/feo/ práctico/elegante/moderno/ antiguo/clásico...

5. Manual de instrucciones

a. ⊻ Haz una lista con los nombres de aparatos y electrodomésticos que conoces en español. No uses el diccionario.

b. ⊑ Intercambia tu lista con tus compañeros. ¿Conoces todas las palabras? Pregúntales.

    ◆ *¿Qué es un lavavajillas?*
    ◆ *Es para lavar los platos.*
    ◆ *¡Ah! ¿Lo mismo que un lavaplatos?*
    ◆ *Sí, es lo mismo.*

c. ⊻ Estas palabras están relacionadas con los aparatos y electrodomésticos, y suelen aparecer en los manuales de instrucciones. ¿Las conocéis?

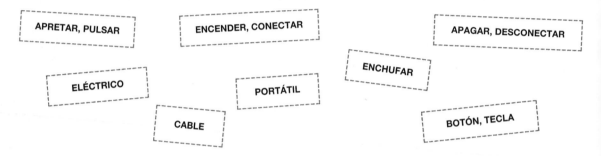

APRETAR, PULSAR   ENCENDER, CONECTAR   APAGAR, DESCONECTAR

ELÉCTRICO   PORTÁTIL   ENCHUFAR

CABLE   BOTÓN, TECLA

d. ㉙ Lee estas tres situaciones relacionadas con el uso de un aparato reproductor portátil de MP3. Después, escucha la conversación y marca a cuál de ellas corresponde.

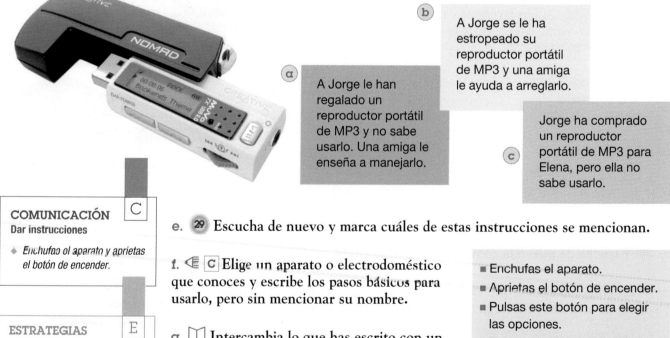

(a) A Jorge le han regalado un reproductor portátil de MP3 y no sabe usarlo. Una amiga le enseña a manejarlo.

(b) A Jorge se le ha estropeado su reproductor portátil de MP3 y una amiga le ayuda a arreglarlo.

(c) Jorge ha comprado un reproductor portátil de MP3 para Elena, pero ella no sabe usarlo.

COMUNICACIÓN C
Dar instrucciones

◆ *Enchufas el aparato y aprietas el botón de encender.*

ESTRATEGIAS E

Una buena estrategia de aprendizaje es reconocer los errores de los compañeros y los propios. Puedes aprender mucho de ellos.

---

e. ㉙ Escucha de nuevo y marca cuáles de estas instrucciones se mencionan.

f. ㉠ C Elige un aparato o electrodoméstico que conoces y escribe los pasos básicos para usarlo, pero sin mencionar su nombre.

g. 📖 Intercambia lo que has escrito con un compañero. Él tiene que descubrir a qué aparato corresponde.

h. ⊑ ¿Crees que en el texto de tu compañero hay algún error? Señálalo y coméntalo con él.

■ Enchufas el aparato.
■ Aprietas el botón de encender.
■ Pulsas este botón para elegir las opciones.
■ Pulsas este botón, este donde pone volumen.
■ Aprietas la tecla de apagar.
■ Apagas el aparato.

6. Describir nuestra casa

a. [V] Observa estos planos y toma nota de las habitaciones que tiene cada uno.

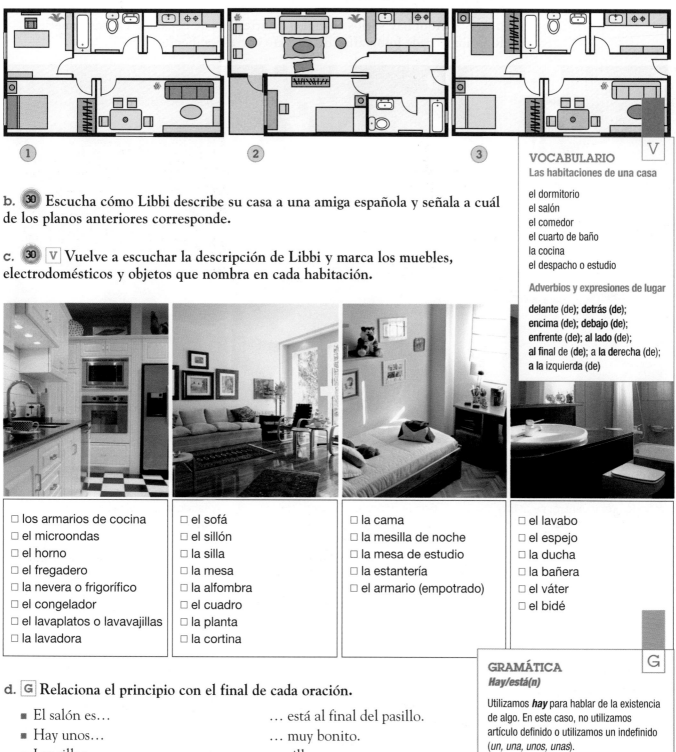

① ② ③

b. (30) Escucha cómo Libbi describe su casa a una amiga española y señala a cuál de los planos anteriores corresponde.

c. (30) [V] Vuelve a escuchar la descripción de Libbi y marca los muebles, electrodomésticos y objetos que nombra en cada habitación.

VOCABULARIO [V]

Las habitaciones de una casa

el dormitorio
el salón
el comedor
el cuarto de baño
la cocina
el despacho o estudio

Adverbios y expresiones de lugar

delante (de); detrás (de);
encima (de); debajo (de);
enfrente (de); al lado (de);
al final de (de); a la derecha (de);
a la izquierda (de)

- ☐ los armarios de cocina
- ☐ el microondas
- ☐ el horno
- ☐ el fregadero
- ☐ la nevera o frigorífico
- ☐ el congelador
- ☐ el lavaplatos o lavavajillas
- ☐ la lavadora

- ☐ el sofá
- ☐ el sillón
- ☐ la silla
- ☐ la mesa
- ☐ la alfombra
- ☐ el cuadro
- ☐ la planta
- ☐ la cortina

- ☐ la cama
- ☐ la mesilla de noche
- ☐ la mesa de estudio
- ☐ la estantería
- ☐ el armario (empotrado)

- ☐ el lavabo
- ☐ el espejo
- ☐ la ducha
- ☐ la bañera
- ☐ el váter
- ☐ el bidé

d. [G] Relaciona el principio con el final de cada oración.

- ■ El salón es…
- ■ Hay unos…
- ■ Las sillas…
- ■ Hay varias…
- ■ La cocina…

- … está al final del pasillo.
- … muy bonito.
- … sillones.
- … alfombras.
- … están delante de la ventana.

e. Describe una habitación de tu casa a tu compañero.
Él debe dibujar el plano. Luego míralo y, si hay algún error, explícaselo para que lo corrija.

GRAMÁTICA [G]

Hay/está(n)

Utilizamos **hay** para hablar de la existencia de algo. En este caso, no utilizamos artículo definido o utilizamos un indefinido (*un, una, unos, unas*).

◆ *En la cocina hay una lavadora.*

Utilizamos **está** o **están** cuando queremos situar en el espacio algo que ya hemos mencionado. En este caso, utilizamos el artículo definido (*el, la, los, las*).

◆ *Las ventanas están detrás de las sillas.*

7. La artesanía española e hispanoamericana

a. 🔲 Cs ¿Sabéis qué es la artesanía? ¿Tenéis algún objeto de artesanía en casa? ¿Podéis poner algún ejemplo?

b. 📖 Cs Aquí hay varios ejemplos de artesanía de España e Hispanoamérica. Relacionad cada fotografía con el texto correspondiente.

Orfebrería colombiana

El oro, material sagrado en el mundo prehispánico, se utilizó para adornar a los poderosos y como ofrendas a los dioses. Hoy se diseñan joyas siguiendo esos modelos.

Artículos de paja toquilla de Ecuador

Son famosos en Ecuador los artículos fabricados en paja toquilla, una fibra vegetal. El más conocido es el sombrero de jipijapa.

Cerámica de Morelos (México)

En el estado de Morelos se fabrican numerosos objetos de cerámica de barro, como macetas, ollas, jarros, cazuelas y vajillas.

Bordados canarios (España)

Esta artesanía utiliza telas como el lino, el algodón, la batista, o el algodón. Sobre ellas se bordan paisajes o flores. Se utilizan en la decoración de sábanas, mantelerías y toallas.

Tapices de Perú

A partir de fibras vegetales se elaboran gorros, mantas o bolsas, por ejemplo, en colores rojos, ocres, marrones y blancos. La decoración suele ser geométrica.

Artesanía textil de Guatemala

Guatemala es famosa por su artesanía textil de colores vivos. El huipil, por ejemplo, es una prenda de vestir femenina, una larga túnica sin mangas.

PINCELADAS

■ Hoy día la artesanía se valora cada vez más, ya que cada pieza es única. Por ejemplo, las cifras de venta de artesanía peruana a países extranjeros subieron un 5 % en el primer semestre de 2004 con respecto al mismo periodo del año anterior. El principal mercado de estos productos es Estados Unidos, seguido de Italia, Nueva Zelanda, Alemania y España.

(Fuente: http://www.peru.tk/modules/news/article.php?storyid=677)

8. Tipos de vivienda

a. [V] ¿Qué tipos de vivienda conocéis?
¿Sabéis cómo se llaman en español?

b. [V] Relaciona cada palabra con la definición correspondiente.

APARTAMENTO:	VIVIENDA DE UNA O DOS PLANTAS CON JARDÍN.
PISO:	PISO PEQUEÑO PARA VIVIR.
CHALÉ:	CONJUNTO DE HABITACIONES QUE CONSTITUYEN UNA VIVIENDA INDEPENDIENTE DENTRO DE UN EDIFICIO DE VARIAS ALTURAS.
DÚPLEX:	ÚLTIMO PISO DE UN EDIFICIO.
ESTUDIO:	EN UN EDIFICIO DE VARIAS PLANTAS, CONJUNTO DE DOS PISOS UNIDOS POR UNA ESCALERA INTERIOR.
ÁTICO:	APARTAMENTO MUY PEQUEÑO.

c. [BLA BLA BLA] [Cs] ¿Existen los mismos tipos de vivienda en tu país? ¿Son habituales otros tipos de vivienda? Explica a tus compañeros cómo son.

- ¿Tienen una o más plantas?
- ¿Son grandes o pequeñas?
- ¿Suelen estar en el centro de la ciudad o en las afueras?
- ¿Vive una o más familias en ellas?

PINCELADAS

- En España, hay una gran tendencia a comprar casa. Tan solo un 11 % de las familias españolas vive en una casa alquilada.

- El precio de la vivienda es muy alto, así que la mayoría de los españoles pide una hipoteca y destina más del 50% de su sueldo a la compra de su vivienda.

COMUNICACIÓN

Describir un objeto

Tamaño

◆ *Es grande/mediano/pequeño…*

Forma

◆ *Es redondo/cuadrado/alargado/rectangular…*

Material

◆ *Es de plástico/metal/cristal/madera//lana…*

Hacer una afirmación señalando cierto grado de duda

◆ *No estoy seguro, pero creo que esto es un llavero.*

Dar información sobre la utilidad de un objeto

◆ *Es una cosa/algo (que sirve) para comunicarse.*

Preguntar por la elección de un objeto

◆ *¿Qué platos te vas a llevar?*

◆ *No sé. ¿Cuáles te gustan más a ti?*

Valorar un objeto

◆ *Es precioso/bonito/feo/práctico/elegante/moderno…*

Poner un ejemplo

◆ *Es algo que sirve, por ejemplo, para leer por la noche.*

Dar instrucciones

◆ *Enchufas el aparato y aprietas el botón de encender.*

Describir las habitaciones de una casa

◆ *El salón es muy bonito. Hay un gran sofá, varias mesas y alfombras, dos sillas, algunas plantas y cuadros… Las alfombras están delante del sofá.*

GRAMÁTICA

Demostrativos

SINGULAR		
Masculino	**Femenino**	**Neutro**
este	esta	esto
ese	esa	eso
aquel	aquella	aquello

PLURAL	
Masculino	**Femenino**
estos	estas
esos	esas
aquellos	aquellas

Pronombres posesivos

	Singular	Plural
(yo)	mío/a	míos/as
(tú)	tuyo/a	tuyos/as
(él, ella, usted)	suyo/a	suyos/as
(nosotros/as)	nuestro/a	nuestros/as
(vosotros/as)	vuestro/a	vuestros/as
(ellos/as, ustedes)	suyo/a	suyos/as

◆ *Este cuaderno es tuyo y estas llaves son suyas.*

Interrogativos

Qué	¿Qué + sustantivo?
	◆ *¿Qué platos prefieres, los rojos o los azules?*
Cuál/es	¿Cuál/es + verbo?
	◆ *¿Cuál te gusta más, este mantel o ese?*
	◆ *¿Cuáles prefieres, los platos rojos o los azules?*

Hay/está(n)

Hay + ∅ o artículo indefinido

◆ *En la cocina hay una lavadora.*

Está/n + artículo definido

◆ *Las ventanas están detrás de las sillas.*

VOCABULARIO

Objetos de uso cotidiano

Una cartera, un florero, un marco de fotos…

Los electrodomésticos

Una plancha, una nevera, una lavadora…

Las habitaciones de la casa y los muebles

Dormitorio, salón, cocina, baño…; cama, armario, sofá…

Actividades relacionadas con los objetos y aparatos

Abrir, sacar, cerrar, encender, apagar…

Adverbios y expresiones de lugar

Delante (de), detrás (de), encima (de)…

Presentación

Vais a presentar un proyecto de una tienda multiespacio y a crear un anuncio publicitario.

Instrucciones

1. Formad grupos de tres o cuatro personas. Vais a decidir los servicios que va a ofrecer vuestra tienda. Para ello, hay que completar las actividades de la página 82.

2. Después, vais a elaborar un anuncio radiofónico para publicitar vuestra tienda. Para ello, tenéis que hacer las actividades de la página 83.

3. Finalmente, cada grupo hará una presentación de su tienda al resto de los compañeros. Entre todos, se elige la mejor.

Vais a necesitar:

- Una grabadora
- Revistas
- y fotografías
- de ropa y objetos
- Papel de colores
- Tijeras

Antes de empezar

a. ¿Sabéis lo que es una tienda multiespacio? ¿Conocéis alguna? Explicádselo a vuestros compañeros.

b. Leed este artículo y responded a las siguientes preguntas.

- ¿Cómo se llama la tienda?
- ¿Qué secciones tiene?

Multiespacio Panhispánico

El interés por otras culturas y formas de vida de Paco, Pedro y Natividad, hijos de emigrantes mexicanos, empieza tras sus viajes por España e Hispanoamérica en busca de sus raíces. Su fascinación por este mundo es la razón del Multiespacio Panhispánico, un espacio multifuncional que da a conocer esta cultura a través de la gastronomía, formas de vestir y objetos que utilizan sus pueblos.

El establecimiento se divide en tres zonas diferenciadas.

La primera zona está destinada a la moda. Allí puedes encontrar ponchos, tapices, los famosos sombreros de Panamá, etc.

En la segunda zona se encuentra el taller de Natividad, una joven especializada en el diseño y elaboración artesana de toda clase de objetos en madera, piedra, papel, piel, cristal, bronce, plata y oro. Hay joyas inspiradas en el arte precolombino, jarrones, platos y objetos de decoración hechos de cerámica, instrumentos típicos de varios países y objetos de lo más variado.

Por último, en la cocina de la casa se desarrollan los cursos de gastronomía. Allí mismo se pueden comprar los ingredientes necesarios y aprender a preparar platos mexicanos, como los tacos, el churrasco o las quesadillas, y platos típicamente españoles, como la paella, el gazpacho o las croquetas. Y los cocineros con más experiencia pueden optar por los cursos de cocina creativa que imparte Pedro.

1. Moda y complementos

a. En vuestro proyecto tiene que haber un espacio dedicado a la moda: decidid en qué va a consistir. Podéis especializaros en un tipo de prendas, en un tipo de público, etc.

b. Haced una lista con los artículos que se venden en esta sección de moda.

Artículos que se venden en la sección de moda

2. Alimentación

a. Ahora, vais a diseñar la sección dedicada a la alimentación. Debe tener un pequeño restaurante y una tienda de alimentación. Decidid si os vais a centrar en la gastronomía de un solo país o de varios.

b. Diseñad el menú del restaurante. Tenéis que indicar el nombre de los platos y tener claros los ingredientes que llevan.

c. Haced una lista con los productos que se venden en esta sección de la tienda.

Artículos que se venden en la sección de alimentación

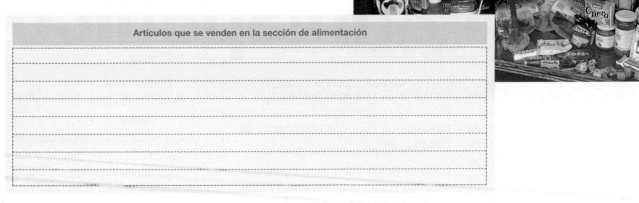

Sugerencias

■ Podéis añadir una tienda de música, una librería, una tienda de regalos o artesanía, una sala de exposiciones, una sala de cine...

3. El espacio

a. Dibujad un plano de vuestra tienda, indicando dónde va a estar ubicada cada sección.

b. Finalmente, decidid si queréis incluir algún otro servicio además de la tienda de moda, el restaurante y la tienda de alimentación. Podéis diseñar una sección de la tienda libremente, según vuestros gustos e intereses.

4. El proyecto

a. Ahora que ya sabéis en qué va a consistir vuestra tienda, tenéis que pensar un nombre. Debe ser original y representativo de lo que ofrecéis.

b. Decidid el lugar ideal para situar vuestra tienda: ciudad y zona.

5. El anuncio publicitario

a. **31** Tenéis que dar a conocer vuestra tienda multiespacio. Para ello, vais a grabar un anuncio publicitario para la radio. Primero, vais a escuchar algunos ejemplos de anuncios de varias tiendas. ¿En cuál de ellas se puede comprar cada uno de estos productos? Relaciona cada fotografía con su anuncio correspondiente.

Anuncio n.º: ...   Anuncio n.º: ...   Anuncio n.º: ...

b. **31** Vuelve a escuchar los anuncios y completa los eslóganes.

1. Porque tú eres lo más _____ .

2. _____ todo lo que buscas.

3. Prepárate para _____ .

c. Pensad en un eslogan publicitario para vuestro negocio. Debe ser corto y fácil de recordar. Tratad de ser originales.

d. Leed las sugerencias para hacer vuestro anuncio y redactad el texto.

e. Grabad el anuncio.

Sugerencias

¿CÓMO HACER UN BUEN ANUNCIO DE RADIO?

■ Los primeros segundos son muy importantes para captar la atención del que escucha: se puede conseguir con música, palabras impactantes, efectos especiales...

■ Incluid vuestro eslogan en el anuncio.

■ Hay que intentar ser innovador, romper con los tópicos.

■ El anuncio debe ser breve, no debe durar más de un minuto.

6. La presentación

a. Cada grupo presenta ante la clase su proyecto. Primero, debéis explicar en qué consiste: el nombre de la tienda, dónde está situada, los productos y servicios que ofrece. Podéis utilizar la pizarra, transparencias, etc.

b. Decidid de qué parte de la presentación se va a ocupar cada uno y ensayadla.

c. Haced la presentación y poned vuestro anuncio radiofónico. El resto de los grupos va a valorar vuestra presentación con estos criterios.

VALORACIÓN DE LA PRESENTACIÓN			
PUNTÚA DEL 1 AL 5 (EL 5 SIGNIFICA QUE TE HA GUSTADO MUCHO).			
	Anuncio 1	**Anuncio 2**	**...**
Las sección de moda de la tienda multiespacio			
Las sección de alimentación de la tienda multiespacio			
El restaurante de la tienda multiespacio			
El nombre de la tienda			
El eslogan			
El anuncio radiofónico			
La presentación del proyecto			
Otros criterios			

Ciudades y barrios

En esta unidad vas a aprender:

- A pedir y dar información sobre una ciudad: qué servicios tiene, dónde está, qué tiempo hace...

- A pedir y dar indicaciones para ir a un lugar

- A comparar ciudades y pueblos

- A expresar una opinión y razonarla

- A manifestar acuerdo o desacuerdo con una opinión

COMUNICACIÓN	GRAMÁTICA	VOCABULARIO	CULTURA Y SOCIOCULTURA	TEXTOS
Describir una ciudad	Los indefinidos: *algún, alguno, alguna, algunos, algunas, ningún, ninguno, ninguna*	Los servicios de la ciudad	Ciudades y medios de transporte	Folletos turísticos
Hablar del tiempo atmosférico		Los números del 1000 en adelante		Informaciones meteorológicas
Hablar de acciones en desarrollo	Perífrasis verbales: *estar +* gerundio	Las estaciones del año		Conversaciones cara a cara para pedir direcciones
Comparar	El gerundio	El tiempo atmosférico		Canción
Expresar una opinión, razonarla y preguntar si se está de acuerdo o no con ella	El imperativo	Las distancias		
Expresar acuerdo o desacuerdo con una declaración	Posición de los pronombres personales átonos con las formas de imperativo			
Pedir y dar instrucciones para ir a un lugar	Presente de indicativo: *venir, volver*			

1. Los servicios de la ciudad

a. [V] Estos son algunos de los objetos, establecimientos y servicios públicos que podéis encontrar en una ciudad. En parejas, relacionad cada palabra con su fotografía correspondiente.

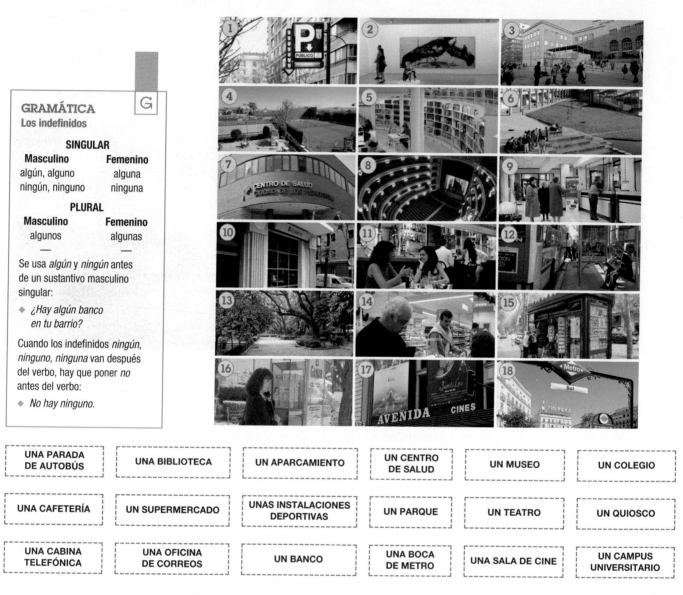

UNA PARADA DE AUTOBÚS	UNA BIBLIOTECA	UN APARCAMIENTO	UN CENTRO DE SALUD	UN MUSEO	UN COLEGIO
UNA CAFETERÍA	UN SUPERMERCADO	UNAS INSTALACIONES DEPORTIVAS	UN PARQUE	UN TEATRO	UN QUIOSCO
UNA CABINA TELEFÓNICA	UNA OFICINA DE CORREOS	UN BANCO	UNA BOCA DE METRO	UNA SALA DE CINE	UN CAMPUS UNIVERSITARIO

b. [G] Piensa en el barrio en el que vives. ¿Qué establecimientos y servicios públicos hay? Contesta a estas preguntas.

- ¿Hay algún parque?
- ¿Hay algún hospital o centro de salud?
- ¿Hay algún colegio?
- ¿Hay instalaciones deportivas?
- ¿Hay supermercados?
- ¿Hay alguna parada de autobús?
- ¿Hay alguna boca de metro?
- ¿Hay algún banco?
- ¿Hay alguna oficina de correos?
- ¿Hay alguna biblioteca?
- ¿Hay algún cine?
- ¿Hay algún aparcamiento público?

c. [G] Compara tus respuestas con las de tu compañero. ¿Qué barrio está mejor equipado?

◆ *En mi barrio no hay ningún colegio, ¿y en el tuyo?*
◆ *En el mío sí, hay dos.*

2. Describir una ciudad

a. 📖 Cs Observa las fotografías. Relaciona cada ciudad con su ficha correspondiente.

CÓRDOBA   SALAMANCA   BARCELONA

VOCABULARIO
Los números del 1000
en adelante

1000	mil
2000	dos mil
10 000	diez mil
20 000	veinte mil
100 000	cien mil
200 000	doscientos/as mil
1 000 000	un millón
2 000 000	dos millones
3 413 567	tres millones cuatrocientos/as trece mil quinientos/as sesenta y siete

V

Comunidad autónoma: Cataluña
Población: 1 593 075 habitantes
Museos destacados:
– Museo de Arte Moderno
– Centro de Cultura Contemporánea (CCCB)
– Museo Picasso
Monumentos destacados:
– Catedral
– Palacio Güell (Gaudí)
– La Sagrada Familia (Gaudí)

Comunidad autónoma: Andalucía
Población: 321 164 habitantes
Museos destacados:
– Museo Arqueológico y Etnológico
– Museo Julio Romero de Torres
– Museo de Etnobotánica y Jardín Botánico
Monumentos destacados:
– Medina Al-Zahara
– Mezquita
– Alcázar de los Reyes Cristianos
– Judería

Comunidad autónoma: Castilla y León
Población: 160 331 habitantes
Museos destacados:
– Museo de Art Nouveau y Art Decó
– Casa-Museo Unamuno
Monumentos destacados:
– Catedrales
– Universidad
– Casa de las Conchas
– Plaza Mayor

b. 32 Escucha el principio de un reportaje radiofónico sobre una de las ciudades anteriores. ¿De qué ciudad están hablando?

c. 33 Fíjate en la ficha y escucha el reportaje. Marca como verdaderas (V) o falsas (F) las siguientes afirmaciones.

	V	F
▪ Está situada al suroeste de la comunidad autónoma de Castilla y León.	☐	☐
▪ Tiene unos ciento cincuenta mil habitantes.	☐	☐
▪ Es una ciudad universitaria.	☐	☐
▪ Tiene muchos edificios históricos.	☐	☐
▪ Tiene una Plaza Mayor muy importante.	☐	☐
▪ Tiene dos catedrales, la Vieja y la Nueva.	☐	☐

d. 📝 Elige una ciudad de España o de Hispanoamérica y escribe un texto describiéndola. Si es necesario, busca información en Internet para completar tu descripción. Después, léeselo a tus compañeros. Ellos deben adivinar qué ciudad has elegido.

COMUNICACIÓN C
Describir una ciudad

◆ **Está** (situada) al norte/sur/este/oeste… de… **Es** una ciudad antigua/moderna/tranquila/ruidosa/grande/pequeña/turística/histórica/universitaria/famosa/importante… **Tiene…** habitantes/museos/catedrales/monumentos…

3. El tiempo atmosférico

a. V Relaciona cada foto con una estación del año.

PRIMAVERA

VERANO

OTOÑO

INVIERNO

b. V En parejas, describid qué tiempo hace en los paisajes de las fotos. Utilizad las siguientes oraciones.

- Hace calor.
- Hace frío.
- Hace sol.
- Hace viento.
- Hace buen tiempo.
- Hace mal tiempo.

- Llueve.
- Nieva.

- Hay niebla.
- Hay tormenta.

- Está nublado.
- Está despejado.

c. ⬚ Completa el siguiente texto sobre el tiempo en Santiago de Compostela.

El clima de Santiago es el típico de la España atlántica. _____ bastante de septiembre a junio y en verano hace mejor _____; muchos días el cielo está _____ y hace _____. Las temperaturas son suaves durante todo el año, con una media de 8 °C en enero, el mes más _____ y una media anual de 19 °C.

d. ◁ ¿Sabes qué tiempo hace ahora mismo en Barcelona, Bogotá o Santiago de Chile? Elige una ciudad, escribe un breve texto y compáralo con los de tus compañeros.

4. ¿Qué están haciendo?

a. [V] Observa lo que están haciendo estos vecinos. ¿En qué piso
viven los personajes que están realizando las actividades
de la lista? Juega con tus compañeros: gana el primero
que complete la tabla.

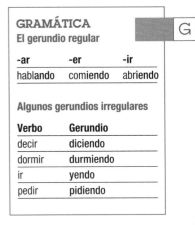

ACTIVIDAD	PISO
Está jugando con su hija.	
Están colgando unas cortinas en el salón.	
Está escuchando música.	
Está estudiando.	
Está leyendo.	
Está cantando.	
Está viendo la tele.	
Está cocinando.	
Está durmiendo.	
Está haciendo ejercicio.	

4.º A	4.º B	4.º C	
3.º A		3.º B	
2.º A		2.º B	
1.º A	1.º B	1.º C	1.º D

b. (34) [G] Escucha atentamente los siguientes sonidos.
¿Qué están haciendo en cada caso? Completa la lista. Después compárala
con la de tus compañeros.

1. Juan _____
2. María _____
3. Alfonso _____
4. Ana y Marisa _____
5. Pedro _____
6. Elena _____

c. [G] Elige una acción y represéntala mediante gestos. El resto de la clase debe
adivinar qué estás haciendo.

5. Ventajas e inconvenientes de vivir en una gran ciudad

a. Lee las siguientes afirmaciones. ¿Cuáles son ventajas o inconvenientes de vivir en una gran ciudad como Madrid o México D. F.? Coméntalo con tus compañeros.

- Hay más servicios que en las ciudades pequeñas: colegios, centros de salud, hospitales, bibliotecas…
- Hay más contaminación.
- Hay mucha oferta cultural: museos, teatros, cines…
- La vida es menos tranquila.
- Hay mucho tráfico.
- La vivienda es más cara que en las pequeñas ciudades.
- Está mejor comunicada que las ciudades pequeñas o los pueblos.

b. Escribe al menos tres ventajas e inconvenientes de vivir en un pueblo. Después compara tu lista con las de tus compañeros.

◆ *La gente en los pueblos está menos estresada.*

c. ㉟ ¿Qué es mejor para una persona joven: vivir en una gran ciudad o vivir en un pueblo? Escucha la conversación entre dos amigos sobre el tema. ¿A quién corresponden estas frases: a Lola o a Fernando?

- Vivir en el pueblo tiene muchas ventajas.
- En el pueblo hay mucha más calidad de vida que en la ciudad.
- La vida es más aburrida.
- Yo creo que para una persona joven es mejor vivir en una ciudad.

d. ㉟ Vuelve a escucharlos. ¿Estás de acuerdo con sus opiniones?

C	Estoy de acuerdo con…	Estoy de acuerdo con…, pero…	No estoy de acuerdo con…
Lola			
Fernando			

e. ¿Y qué es mejor para estas personas? Comenta tu opinión con tus compañeros.

6. Pedir y dar instrucciones para ir a un lugar

a. V Relaciona las siguientes expresiones con su dibujo correspondiente.

| GIRAR A LA IZQUIERDA. | SEGUIR TODO RECTO. | CRUZAR LA PLAZA. | COGER LA TERCERA CALLE A LA IZQUIERDA. |

b. Lee y completa los siguientes diálogos con las palabras de la lista.

◆ Perdone, ¿la calle Almirante está cerca de aquí?

◆ No lo sé, lo siento, es que no soy de aquí.

◆ Perdone, ¿sabe usted dónde está la calle Almirante?

◆ Sí, está muy cerca. Mire, _____ todo recto por esta calle y al llegar a la plaza, _____ la primera calle a la _____. Esa es la calle Almirante.

◆ Muchas gracias.

◆ De nada, adiós.

◆ Perdona, ¿sabes si hay una farmacia por aquí?

◆ Sí, hay una, pero está un poco lejos. A unos diez minutos andando. Mira, _____ la segunda calle a la derecha y _____ todo recto hasta la plaza de Chueca; _____. Allí está la farmacia.

◆ Bien, entonces, cojo la primera calle a la derecha y…

◆ No, la segunda calle a la derecha.

◆ Ah, vale. Cojo la segunda calle a la derecha y sigo todo recto hasta la plaza.

◆ Eso es.

◆ Muchas gracias.

◆ De nada.

> DERECHA
> CRÚZALA
> SIGUE
> COJA
> SIGA
> COGE

c. 36 Escucha y comprueba tus respuestas.

d. G Fíjate en las formas verbales que sirven para dar instrucciones y completa el cuadro de gramática.

7. Moverse por la ciudad

a. 37 Escucha una encuesta y marca qué transporte utilizan los ciudadanos para ir y volver de trabajar.

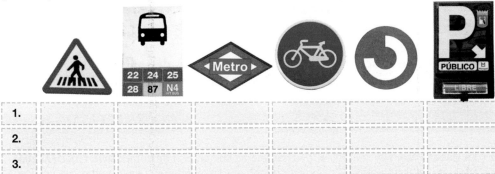

1.					
2.					
3.					

b. Explica a tu compañero cómo llegar desde la escuela hasta tu casa y el medio de transporte que tiene que utilizar.

GRAMÁTICA G

El imperativo: verbos regulares

	Cruzar	Coger	Subir
(tú)	cruz_	cog_	sube
(usted)	cruce	coj_	suba

El imperativo: algunos verbos irregulares

	Ir	Salir
(tú)	ve	sal
(usted)	vaya	salga

Posición de los pronombres personales átonos con las formas de imperativo

Los pronombres personales átonos (*me, te, lo, la, le, se, nos, os, los, las, les*) van después de las formas de imperativo, unidos con el verbo en una sola palabra: ◆ *Crúzala.*

8. Una canción para dos ciudades

a. Observad estas dos fotografías. ¿Qué tienen en común ambas ciudades?

b. 38 Escucha la siguiente canción dedicada a las dos ciudades de las fotografías. ¿Cuáles son?

Barcelona   **La Habana**   San Sebastián   **Santo Domingo**   Cádiz

c. Cs Lee esta información turística sobre ambas ciudades. Relaciona cada ciudad con su descripción.

Poseedora de un gran caudal de historia, cultura y tradición, es el destino cultural por excelencia de la mayor de las Antillas, y una de las ciudades más encantadoras del mundo. Su centro histórico fue declarado Patrimonio de la Humanidad por la UNESCO en el año de 1982. La ciudad tiene múltiples atractivos para disfrutar: la Alameda de Paula, el paseo más antiguo de la ciudad; el Malecón, la soleada avenida que se extiende por el litoral norte de la ciudad; su catedral, las hermosas playas, una arquitectura colonial única y numerosos sitios de recreo.

(Fuente: http://www.descubracuba.com/)

ⓐ

Fundada hace unos 3000 años por los fenicios, es la ciudad más antigua de Occidente. Los diferentes pueblos que aquí se asentaron ejercieron una influencia cultural que aún perdura en el carácter de sus habitantes. Esta península, en plena costa atlántica andaluza, ha sabido conservar un importante legado histórico fruto de su importancia comercial junto a excelentes playas y una exquisita cocina regional. En sus calles es fácil encontrar a nuestro paso maravillas como la Catedral, la playa de La Caleta, el puerto, el hermoso barrio de La Viña, el de El Mentidero o Santa María.
La luminosidad y la alegría de la ciudad nos atrapan por completo y su magia y singularidad hacen de ella una de las ciudades más bellas de España.

(Fuente: http://www.spain.info/)

ⓑ

d. 38 Cs Vuelve a escuchar la canción. ¿Qué lugares de ambas ciudades se nombran en la canción y aparecen en los textos anteriores? Márcalos.

PINCELADAS

■ El tráfico marítimo entre Cádiz y La Habana fue muy intenso durante un gran número de años, de tal forma que incluso las dos ciudades se parecen arquitectónicamente y algunos llaman a Cádiz «La pequeña Habana».

■ Las habaneras son un tipo de composición musical que tiene su origen en los marineros y emigrantes que volvían a España desde Cuba en el siglo XIX y que cantaban con nostalgia recuerdos de aquella tierra.

9. Ciudades y medios de transporte

a. 📖 Observa el cartel de las tarifas de metro de Madrid. ¿Cuánto cuesta cada billete?

MetroMadrid 004504
10 E1006 V01
Sencillo
1 Viaje   T3
                          K-0171
                          A06010
VÁLIDO EN MetroMadrid
Utilización según tarifas. Incluidos I.V.A. y S.O.V.   05/07/05
C.I.F. Q-7850003 J (Consérvese hasta la salida)   16:03

MADRID ** TRANSPORTES**
***
← **METROBUS**
10 Viajes   T3
                          0 693213
VÁLIDO EN METRO Y E.M.T.
Utilización según tarifas.Incluidos I.V.A. y S.O.V.
C.I.F. Q-7850003J (Consérvese hasta la salida)

b. 📖 Lee la información sobre el horario y las tarifas del metro en Buenos Aires y México D. F. y sigue las instrucciones.

tarifas €

títulos

sencillo combinado Metro	sencillo MetroMadrid, MetroSur, TFM	Metrobús	10 viajes TFM	10 viajes MetroSur
1,30	1,00	5,80	5,80	5,80

zonas	abonos mensuales y anuales				
	mensual normal	mensual joven	mensual 3ª edad	anual	anual 3ª edad
A	37,15	24,45	9,55	408,65	105,05
B1	43,10	27,65	9,55	474,10	105,05
B2	49,20	31,40	9,55	541,20	105,05
B1-B2	31,30	20,60	9,55	•	105,05
B3	55,35	35,95	9,55	608,85	105,05
C1	61,10	39,20	9,55	672,10	105,05
C2	67,60	43,15	9,55	743,60	105,05
E1	75,25	54,55	•	•	•
E2	89,75	67,90	•	•	•

zonas	abonos turísticos (*)				
NORMAL	1 día	2 días	3 días	5 días	7 días
A	3,50	6,30	8,40	13,20	18,40
T	7,00	12,60	16,80	26,20	36,70
INFANTIL	Solo para niños menores de 11 años.				
A	1,75	3,15	4,20	6,60	9,20
T	3,50	6,30	8,40	13,10	18,35

(*) De venta en estancos, quioscos y todas las estaciones de la Red de Metro.
Para más información consultar: www.metromadrid.es / www.ctm-madrid.es
Centro de Atención a Cliente: 902 444 403

TFM: Línea 9 entre Puerta de Arganda y Arganda del Rey.
MetroSur: Línea 12 completa y línea 10 entre J. Vilumbrales y Puerta del Sur.

Alumno A

Lee esta información. Tu compañero va a hacerte algunas preguntas al respecto.

El subte de Buenos Aires
Horario
Hábiles y sábados: de 5 a 23 h
Festivos: de 8 a 23 h

Tarifas
1 viaje: $ 0,70 pesos

(Fuente: http://www.metrovias.com.ar)

Pregunta a tu compañero y completa la información.

El metro de México D. F.
Horario
Laborales: _____
Sábados: _____
Domingos y días festivos: _____

Costo del boleto
_____ pesos

Alumno B

Lee esta información. Tu compañero va a hacerte algunas preguntas al respecto.

El metro de México D. F.
Horario
Laborales: de 5 a 24 h
Sábados: de 6 a 24 h
Domingos y días festivos: de 7 a 24 h

Costo del boleto
$ 2,00 pesos

(Fuente: http://www.metro.df.gob.mx/)

Pregunta a tu compañero y completa la información.

El subte de Buenos Aires
Horario
Hábiles y sábados: _____
Festivos: _____

Tarifas
1 viaje: _____ pesos

VOCABULARIO Ⅴ
Países y monedas

Argentina	peso
Bolivia	boliviano
Colombia	peso
Costa Rica	colón
Chile	peso
Ecuador	sucre
El Salvador	colón
España	euro
Guatemala	quetzal
Honduras	lempira
México	peso
Panamá	balboa
Paraguay	guaraní
Perú	nuevo sol
Uruguay	peso
Venezuela	bolívar

c. Ⅴ Fijaos en las imágenes y en los textos. Completad entre todos la tabla de vocabulario.

Madrid	Buenos Aires	México D. F.
billete	boleto	
		metro

PINCELADAS

■ En España, el número de viajeros que utilizan el transporte público urbano aumenta cada año. Por ejemplo, en noviembre de 2005 más de 260 millones de españoles utilizaron el metro o el autobús, lo que supuso un aumento del 2,7 % respecto al mismo mes del año anterior.

COMUNICACIÓN

Describir una ciudad

◆ **Está** (situada) al norte/sur/este/oeste... de... **Es** una ciudad antigua/moderna/tranquila... **Tiene**... habitantes/museos/catedrales/monumentos...

Hablar del tiempo atmosférico

◆ Hace calor./Hay niebla./Está nublado./Llueve.

Hablar de acciones en desarrollo

◆ **Está** estudiando.

Comparar

Más + adjetivo/adverbio/sustantivo (+ **que**)

◆ La vivienda en las ciudades es más cara que en los pueblos.

Tan + adjetivo/adverbio (+ **como**)

◆ Los pueblos no están tan bien comunicados como las ciudades.

Tanto/a/os/as + sustantivo (+ **como**)

◆ En los pueblos no hay tanta vida nocturna como en las ciudades.

Menos + adjetivo/adverbio/sustantivo (+ **que**)

◆ En las ciudades hay menos aire puro que en los pueblos.

Fíjate: ~~más bueno~~ o ~~más bien~~ → **mejor**.

◆ Las ciudades están mejor comunicadas que los pueblos.

Fíjate: ~~más malo~~ o ~~más mal~~ → **peor**.

◆ Los pueblos están peor comunicados que las ciudades.

Expresar una opinión, razonarla y preguntar si se está de acuerdo o no con ella

◆ **(Yo) pienso/creo que** para una persona mayor es mejor vivir en un pueblo porque hay menos contaminación, **¿verdad?/¿no?**

Expresar acuerdo o desacuerdo con una declaración

◆ (Yo) estoy de acuerdo contigo.
◆ (Yo) no estoy de acuerdo.

Pedir y dar instrucciones para ir a un lugar

◆ Perdone, ¿la calle Almirante está cerca de aquí?
◆ Sí, está muy cerca. Mire, siga todo recto por esta calle y...

VOCABULARIO

Los servicios de la ciudad

Hospital, parque...

Los números del 1000 en adelante

Mil, dos mil, tres mil, veinte mil, un millón...

Las estaciones del año

Primavera, verano, otoño, invierno.

El tiempo atmosférico

Llover, hacer calor, hacer frío, estar nublado...

Las distancias

Cerca, lejos, a diez minutos andando...

GRAMÁTICA

Los indefinidos

	SINGULAR		PLURAL	
	Masculino	Femenino	Masculino	Femenino
	algún, alguno	alguna	algunos	algunas
	ningún, ninguno	ninguna	—	—

Se usa algún y ningún antes de un sustantivo masculino singular: ◆ ¿Hay algún banco?

Cuando los indefinidos ningún, ninguno, ninguna van después del verbo, hay que poner no antes del verbo: ◆ No hay ninguno.

Perífrasis verbales

Estar + gerundio
◆ Está estudiando.

El gerundio regular

-ar	-er	-ir
hablando	comiendo	abriendo

Algunos gerundios irregulares

Verbo	Gerundio
decir	diciendo
dormir	durmiendo
ir	yendo
pedir	pidiendo

El imperativo: verbos regulares

	Cruzar	Coger	Subir
(tú)	cruza	coge	sube
(usted)	cruce	coja	suba

El imperativo: algunos verbos irregulares

	Ir	Salir
(tú)	ve	sal
(usted)	vaya	salga

Posición de los pronombres personales átonos con las formas de imperativo

Los pronombres personales átonos (me, te, lo, la, le, se, nos, os, los, las, les) van después de las formas de imperativo, unidos con el verbo en una sola palabra: ◆ Crúzala.

Presente de indicativo

	Venir	Volver
(yo)	vengo	vuelvo
(tú)	vienes	vuelves
(él, ella, usted)	viene	vuelve
(nosotros/as)	venimos	volvemos
(vosotros/as)	venís	volvéis
(ellos/as, ustedes)	vienen	vuelven

En esta unidad vas a aprender:

- ▪ A pedir y dar información sobre las actividades y rutinas diarias

- ▪ A dar y pedir información sobre las actividades de ocio y tiempo libre

- ▪ A pedir y dar información relacionada con los gustos, preferencias e intereses

- ▪ A expresar deseos

- ▪ A expresar entusiasmo, indiferencia o decepción

- ▪ A dar y pedir información sobre planes e intenciones decididos

- ▪ A mantener un breve intercambio telefónico

- ▪ Quién es Fernando Botero

- ▪ Cuáles son las actividades de ocio preferidas por los españoles

COMUNICACIÓN	GRAMÁTICA	VOCABULARIO	CULTURA Y SOCIOCULTURA	TEXTOS
Pedir y dar información sobre acciones habituales	*Antes de/después de* + infinitivo	Actividades cotidianas	Fernando Botero y el Museo de Antioquia	Carteleras de espectáculos
Expresar gustos y preferencias	Perífrasis verbales: *soler* + infinitivo, *ir a* + infinitivo	Expresiones para ordenar el discurso	El ocio en España	Conversaciones cara a cara entre amigos
Preguntar por gustos e intereses	Oraciones condicionales: *si* + presente, presente	Expresiones para hablar de frecuencia		Conversaciones telefónicas
Preguntar por el día y el lugar de celebración de un acontecimiento	*Ser* para ubicar en el tiempo y en el espacio	Actividades de tiempo libre		Textos informativos
Expresar un deseo	Presente de indicativo: *soler, interesar*	Recursos para desenvolverse por teléfono		Gráfico
Expresar entusiasmo, indiferencia y descontento o decepción		Expresiones de tiempo referidas al futuro		
Hablar de planes y proyectos decididos				

1. Un día cualquiera

a. V Mira estos dibujos y escribe lo que hace Carlota todos los días.

◆ *Carlota se levanta a las siete. Después de desayunar, se ducha y…*

b. 📖 Intercambia tu texto con tu compañero, lee el suyo y, si lo crees necesario, haz correcciones. Luego, comentadlas.

c. 🗨 ¿Cómo es tu día a día? ¿Haces las mismas cosas que Carlota? ¿Y las haces en el mismo orden? Coméntalo con tu compañero. Si lo necesitas, puedes usar el diccionario.

◆ *Yo también me levanto a las siete, ¿y tú?*
◆ *Pues yo me levanto antes, a las seis y media.*

d. V Haz una lista de las cosas que sueles hacer con distinta frecuencia.

Me levanto pronto y voy al gimnasio.	Todos los días.

e. 🗨 Intercambia tu lista con un compañero. Luego, vas a contar su rutina al resto de la clase, pero con un dato falso que tenéis que decidir entre los dos. ¿Lo han descubierto?

◆ *Julie se levanta pronto todos los días y va al gimnasio. Después de comer, duerme la siesta, porque no trabaja. Luego viene a clase…*
◆ *Yo creo que no duerme la siesta todos los días, solo los fines de semana.*
◆ *¡Muy bien!*

2. Actividades y aficiones

a. [V] **En parejas, relacionad estas actividades de tiempo libre con las palabras y expresiones de la lista.**

- pasear
- ir a un museo
- hacer deporte
- ir de acampada
- hacer senderismo
- ir de compras

- ir al teatro
- leer
- ir a un concierto
- ir a un partido de fútbol
- salir con amigos
- ir al cine

b. [C] **¿Cuáles de esas actividades te gusta hacer? ¿Y cuáles no? Anótalo en la tabla y añade otros ejemplos si lo deseas.**

Me encanta…	
Me gusta mucho…	
Me interesa mucho…	
Me gusta bastante…	
No me gusta mucho…	
No me gusta nada…	
Odio…	

c. [BLA BLA BLA] **En grupo, habla con tus compañeros sobre tus aficiones y pregúntales por las suyas. Después, contad al resto las cosas que tenéis en común.**

COMUNICACIÓN [C]
Preguntar por gustos e intereses

- ◆ ¿Te gusta el cine español?
- ◆ Sí, bastante.
- ◆ Y a ti, ¿te interesa el arte?
- ◆ Sí, sobre todo el arte moderno.

3. Propuestas de ocio

a. 📖 **Mirad esta página web. ¿Qué tipo de página es? ¿A qué se dedica?**

ESTUYO: EL OCIO AL MEJOR PRECIO

Ofertas destacadas

Ofertas de ocio destacadas en Madrid

Cine
Teatro
Conciertos
Musicales
Danza
Museos
Infantil
Otros

La casa de Bernarda Alba
Lugar: Teatro Margarita Xirgu
Dirección: c/ Justo Dorado, 8. Ver mapa.
Cómo llegar: Metro: Guzmán el Bueno
(Líneas 6 y 7).
Forma de pago: en taquilla
Precio: 12,00 €
✉ envía esta oferta a un amigo

Volver
Lugar: Cine Capitol
Dirección: c/ Gran Vía, 41. Ver mapa.
Forma de pago: en taquilla
Precio: 6,00 €
✉ envía esta oferta a un amigo

Pablo Picasso
Lugar: Museo Nacional Centro de Arte Reina Sofía
Dirección: Plaza Santa Isabel, 52. Ver mapa.
Forma de pago: en taquilla
Precio: 3,00 €
✉ envía esta oferta a un amigo

En clave flamenca
Lugar: Teatro de Madrid
Dirección: Avenida de la Ilustración, s/n. Ver mapa.
Forma de pago: en taquilla
Precio: 18,00 €
✉ envía esta oferta a un amigo

Gran circo mundial
Lugar: Plaza de toros de Las Ventas
Dirección: c/ Alcalá, 37. Ver mapa.
Forma de pago: en taquilla
Precio: 20,00 €
✉ envía esta oferta a un amigo

Presentación nuevo disco de Coti
Lugar: Sala La Riviera
Dirección: Paseo de la Virgen del Puerto, s/n. Ver mapa.
Forma de pago: *on line*
Precio: 25,00 €
✉ envía esta oferta a un amigo

b. V **En parejas, leed las propuestas de ocio de la página web. ¿A qué tipo de acto o espectáculo corresponde cada una? ¿Dónde se van a celebrar?**

Tipo de actividad:
– una exposición de pintura/fotografía/escultura
– una película
– una obra de teatro
– un concierto de rock/música clásica...
– un espectáculo de danza clásica/moderna/*ballet*...
– ...

Lugar:
– un cine/teatro
– un museo/una sala de exposiciones/una galería de arte
– un estadio de fútbol/un polideportivo
– una sala de conciertos
– una plaza de toros
– ...

c. 📖 **Lee de nuevo las propuestas de ocio anteriores y responde a estas preguntas.**

■ ¿Cómo se titula la obra de teatro que se representa?
■ ¿Dónde es la exposición?
■ ¿Dónde se pueden comprar las entradas para el concierto de Coti?

d. 🗨 **Imagina que puedes asistir a alguno de los espectáculos de la actividad 3. a. ¿A cuál te gustaría ir? Busca a dos compañeros que quieran ir contigo. Fijad un día, un sitio y una hora.**

◆ *A mí me gustaría ir al teatro, ¿y a ti?*
◆ *A mí también. ¿Cómo quedamos?*
◆ *Podemos ir el domingo por la tarde.*
◆ *Vale. ¿Quedamos a las seis en la Plaza Mayor?*

COMUNICACIÓN C
Preguntar por el día y el lugar de celebración de un acontecimiento

◆ *¿Cuándo es el concierto?*
◆ *¿Dónde es la exposición?*

Expresar deseos

◆ *(A mí) me gustaría ir a ver la exposición de Pablo Picasso.*

4. ¿Qué te apetece hacer?

a. 🔊39 Escucha cómo un grupo de amigos comenta lo que les apetece hacer el próximo sábado y contesta las preguntas.

- ¿Qué deciden hacer finalmente?
- ¿A qué hora quedan?
- ¿Dónde quedan?

b. 🔊39 Escucha de nuevo y marca las expresiones que oigas.

EXPRESAR ENTUSIASMO	EXPRESAR INDIFERENCIA	EXPRESAR DESCONTENTO O DECEPCIÓN
¡Vale! ¡Qué bien!	Me da igual. No sé…	¡Qué lástima! ¡Qué pena!

c. C Ahora, añade estas expresiones a la columna correspondiente de la tabla anterior. Si conoces otras, apúntalas también.

¡VAYA!

¡QUÉ BUENA IDEA!

BUENO…

¡DE ACUERDO!

¡ESTUPENDO!

ESTRATEGIAS E

Fíjate en la entonación que utilizan los nativos cuando usan expresiones fijas y trata de imitarlos.

d. 🗨 En grupo, leed estas instrucciones y representad la situación propuesta.

Alumno A

Haz propuestas de ocio a tus compañeros. Si te dicen que no, propón otras cosas.

Alumno B

Responde con entusiasmo ante las propuestas de ocio que te hagan.

Alumno C

Responde con desinterés o poniendo excusas para rechazar las propuestas de ocio que te hagan hasta que te propongan algo que realmente te interese.

5. Por teléfono

a. [C] **Intenta completar estas conversaciones telefónicas con estas oraciones.**

- no está en casa
- Sí, soy yo
- ¿De parte de quién?
- Se ha equivocado

- no se puede poner
- Un momento
- ¿Dígame?
- ¿Quiere dejar un recado?

- ¿Sí?
- ¿Está Carlos?
- _____
- De Roberto.
- _____ . Ahora se pone.

(...)

- _____
- ¿Está Marisa, por favor?
- Pues no, _____ . ¿Quién eres?
- Soy Carmen, una compañera de clase. ¿Le puede decir que he llamado?
- Sí, yo se lo digo.
- Gracias, hasta luego.
- De nada, adiós.

- ¿Sí?
- ¿Está Álex?
- No, lo siento. _____ .
- ¿No es el 91 647 84 46?
- Sí, pero aquí no vive ningún Álex.
- Perdone. Gracias.
- Nada, adiós.

- ¿Sí?
- ¿Elena?
- _____ .
- Hola, soy Felipe.
- ¡Hola, Felipe! ¡Cuánto tiempo! ¿Qué tal?

(...)

- Parador de Málaga, ¿dígame?
- Buenos días. Quería hablar con el señor Cifuentes, por favor.
- El señor Cifuentes no está. _____
- Sí, por favor. Dígale que le ha llamado Antonio Molinero.
- Muy bien, señor Molinero.
- Adiós, buenos días.
- Buenos días.

- Hotel rural El álamo, ¿dígame?
- Buenas tardes. ¿Podría hablar con la directora, la señora Ruano?
- Pues... en este momento _____ . Si quiere, puede dejarle un mensaje.
- No hace falta, gracias. Llamaré más tarde.
- Muy bien. Buenas tardes.
- Adiós.

ESTRATEGIAS [E]

Puede ser muy útil aprender de memoria algunas frases y expresiones fijas para usarlas en determinadas situaciones; por ejemplo, para hablar por teléfono.

b. (40) **Escucha y comprueba.**

c. [E] **Señala en los diálogos de 5. a. las expresiones que te parecen más útiles para poder desenvolverte en una conversación telefónica.**

d. **En parejas, representad estas situaciones. Después podéis intercambiar los papeles.**

Alumno A

Situación 1:

Llamas a un amigo para salir este fin de semana.

Situación 2:

Contesta al teléfono. La persona con la que quieren hablar ha salido.

Alumno B

Situación 1:

Contesta al teléfono. La persona con la que quieren hablar está en su habitación.

Situación 2:

Llamas a un compañero de clase para ir al cine.

---

6. ¿Qué planes tienes?

a. Mirad estas imágenes. ¿Qué planes creéis que tiene este grupo de amigos? ¿Qué van a hacer?

- *Van a salir de la ciudad.*
- *Sí, yo creo que piensan ir al campo.*

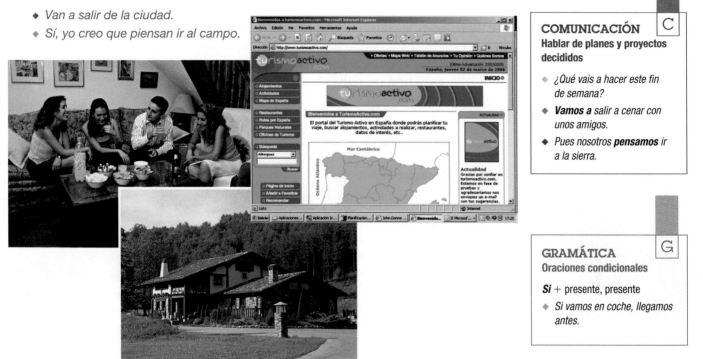

COMUNICACIÓN C

Hablar de planes y proyectos decididos

- *¿Qué vais a hacer este fin de semana?*
- ◆ **Vamos a** *salir a cenar con unos amigos.*
- *Pues nosotros **pensamos** ir a la sierra.*

GRAMÁTICA G

Oraciones condicionales

Si + presente, presente

- *Si vamos en coche, llegamos antes.*

b. (41) Escucha y comprueba tus respuestas.

c. (41) Escucha de nuevo la conversación y marca la opción que escuches.

1. Si vamos de acampada,…
   - … vamos a pasar mucho frío.
   - … tenemos que llevar un montón de cosas.
   - … tenemos que comprar una tienda de campaña.

2. Si vamos todos a una casa rural,…
   - … vamos a gastar menos dinero.
   - … no tenemos que preocuparnos de llevar comida.
   - … podemos conocer gente.

3. Si vamos en coche,…
   - … llegamos antes y tenemos más tiempo.
   - … vamos a tener más libertad.
   - … podemos visitar los pueblos de los alrededores.

d. Pregunta a tu compañero por sus gustos e intereses de ocio y toma nota de sus respuestas.

e. En parejas, buscad propuestas de ocio para el fin de semana y para diseñar un plan de actividades.

f. Haced una presentación de vuestro plan de actividades al resto de la clase. ¿Alguien quiere acompañaros?

7. Fernando Botero

a. 🗨 Cs ¿Sabes quién es Fernando Botero? ¿Has visto o conoces alguna de sus obras? Coméntalo con tus compañeros.

b. V Aseguraos de que conocéis el significado de estas palabras. Después, haced hipótesis sobre el contenido del texto que vais a leer.

| ARTISTA | OBRA | PINTURA | ESCULTURA | MUSEO | INSTITUCIÓN | TRANSFORMAR | DONAR |

c. 📖 E Leed el texto. ¿Habéis acertado en vuestras hipótesis?

Fernando Botero y el Museo de Antioquia

El pintor y escultor colombiano Fernando Botero es, sin duda, un artista mundialmente reconocido. Botero nació en Medellín en 1932 y, aunque ha vivido y trabajado en numerosos países como México, España, Francia o Italia, siempre ha mantenido un gran vínculo sentimental con su ciudad natal. Prueba de ello es la donación que hizo al Museo de Antioquia, con la que Botero quiso convertir a Medellín en un importante centro artístico y cultural.

Mujer con espejo.

En 1978, Botero ofreció a la institución varias de sus obras, con la condición de que contaran con un espacio apropiado. Así comenzó el proceso de transformación que convirtió al museo en una de las más importantes entidades culturales de América Latina. Además, se construyó la Plaza Botero, un gran parque público en el que se pueden ver veintitrés de sus famosas esculturas.

Hasta el año 2000, en el museo había treinta y cuatro obras del artista: dieciocho pinturas y dieciséis esculturas. Ese mismo año Botero donó al museo ciento catorce pinturas y veintitrés esculturas, además de veintiuna obras de otros artistas internacionales de su colección particular. Actualmente, la mayor parte de las obras de este artista se encuentra en este museo.

El 15 de octubre del año 2000, unos cinco mil niños de todos los lugares de la ciudad de Medellín inauguraron el Museo.

El guitarrista.

d. 📖 Cs Lee de nuevo el texto y responde a las preguntas.

- ¿De dónde es Fernando Botero?
- ¿Dónde está la mayor parte de su obra?
- ¿En qué otro lugar de la ciudad se pueden ver muchas de sus esculturas?
- ¿Por qué ha donado muchas de sus obras al Museo de Antioquia de Medellín?

e. 🗨 Cs En los museos que has visitado, ¿has visto obras de artistas españoles o hispanoamericanos? ¿De cuáles? ¿Dónde?

PINCELADAS

- En Colombia, actualmente existen trescientos setenta y ocho museos en funcionamiento. Entre ellos hay algunos tan importantes como el Museo del Oro de Botogá o el Museo Arqueológico de Cartagena de Indias. Actualmente se intenta que los museos sean lugares dinámicos y de encuentro para atraer a una mayor cantidad de público con una verdadera oferta de servicios educativos y culturales. Para ampliar esta información se puede consultar la página web de la Red Nacional de Museos (www.museoscolombianos.gov.co).

8. El ocio en España

a. BLA BLA BLA Cs Los fines de de semana, la mayoría de los españoles deciden disfrutar de su tiempo libre en casa. ¿Qué tipo de aficiones creéis que son más populares? En parejas, intentad completar este gráfico.

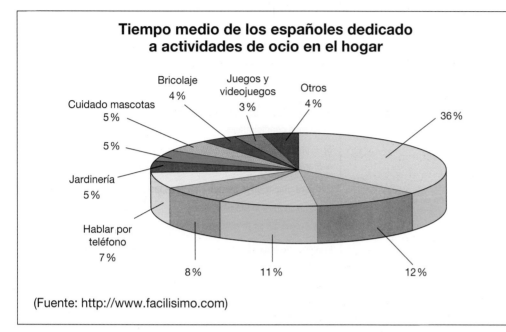

Tiempo medio de los españoles dedicado a actividades de ocio en el hogar

Bricolaje 4%
Juegos y videojuegos 3%
Otros 4%
Cuidado mascotas 5%
5%
Jardinería 5%
36%
Hablar por teléfono 7%
8%
11%
12%

(Fuente: http://www.facilisimo.com)

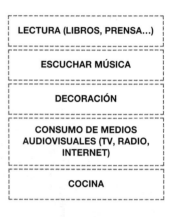

LECTURA (LIBROS, PRENSA...)

ESCUCHAR MÚSICA

DECORACIÓN

CONSUMO DE MEDIOS AUDIOVISUALES (TV, RADIO, INTERNET)

COCINA

b. BLA BLA BLA Poned en común vuestras hipótesis con el resto de la clase.

c. Cs Lee este texto y comprueba los resultados. ¿Hay algún dato que te sorprenda? ¿Qué resultados crees que daría esta encuesta en tu país?

El ocio de los españoles

El tiempo medio del fin de semana que los españoles dedican a disfrutar de sus aficiones en casa se sitúa en 21 horas y 39 minutos, una cantidad nada desdeñable si tenemos en cuenta que se han descontado las horas que utilizamos para las tareas domésticas, el cuidado de los hijos y las horas de sueño.

De esas 21 horas, casi el 60% prefieren las actividades pasivas, como ver la televisión, escuchar la radio o navegar por Internet: les dedican el 36% de su tiempo. Otras actividades son escuchar música y leer, en las que emplean el 12% y el 11% de su tiempo, respectivamente.

Si hablamos de tareas más activas, lo que más les gusta a los españoles es la cocina, a la que dedican el 8% de su tiempo libre, con 1 hora y 41 minutos, la jardinería (1 hora y 9 minutos), la decoración (1 hora y 8 minutos), el cuidado de las mascotas (1 hora y 6 minutos) y el bricolaje (59 minutos).

(Fuente: http://www.facilisimo.com)

PINCELADAS

■ Según una encuesta realizada por el CIS (Centro de Investigaciones Sociológicas) en 2003, las actividades de tiempo libre que más le gustan a la juventud española son: escuchar música (un 98%), salir con amigos (97%) y ver la televisión (92%), seguidas muy de cerca por viajar e ir al cine.

COMUNICACIÓN

Pedir y dar información sobre acciones habituales

◆ *¿Qué haces habitualmente?*

◆ *Normalmente me levanto pronto y suelo ir al gimnasio.*

Expresar gustos y preferencias

◆ *A mí me encanta salir por la noche.*

◆ *Pues a mí no me gusta nada. Prefiero quedarme en casa leyendo o viendo una película.*

Preguntar por gustos e intereses

◆ *¿Te gusta el cine español?*

◆ *Sí, bastante.*

◆ *Y a ti, ¿te interesa el arte?*

◆ *Sí, sobre todo el arte moderno.*

Preguntar por el día y el lugar de celebración de un acontecimiento

◆ *¿Cuándo es el concierto?*

◆ *El próximo sábado.*

◆ *¿Dónde es la exposición?*

◆ *En el Museo del Prado.*

Expresar un deseo

◆ *(A mí) me gustaría ir a la exposición de arte.*

Expresar entusiasmo, indiferencia y descontento o decepción

◆ *¡Qué bien!*

◆ *No sé, me da igual.*

◆ *¡Qué pena!*

Hablar de planes y proyectos decididos

◆ *¿Qué vais a hacer este fin de semana?*

◆ *Vamos a salir a cenar con unos amigos.*

◆ *Pues nosotros pensamos ir a la sierra.*

VOCABULARIO

Actividades cotidianas

Levantarse, desayunar, ir al trabajo…

Expresiones para ordenar el discurso

Primero…/Luego…/Después…

Expresiones para hablar de frecuencia

Siempre, normalmente, de vez en cuando…

Actividades de tiempo libre

Pasear, ir al cine, hacer senderismo…

Recursos para desenvolverse por teléfono

¿Dígame?, no se puede poner, un momento…

Expresiones de tiempo referidas al futuro

Mañana, este fin de semana, el próximo sábado, la semana que viene…

GRAMÁTICA

Antes de/después de + infinitivo

◆ *Después de desayunar, me voy a trabajar.*

◆ *Hago ejercicio antes de cenar.*

Perífrasis verbales

Soler + infinitivo

◆ *Suelo ir los martes al gimnasio.*

Ir a + infinitivo

◆ *Vamos a pasar el fin de semana en la sierra.*

Oraciones condicionales

Si + presente, presente

◆ *Si vamos en coche, llegamos antes.*

Ser para ubicar en el tiempo y en el espacio

◆ *El concierto es el sábado.*

◆ *La exposición es en el Museo Reina Sofía.*

Presente de indicativo

	Soler
(yo)	suelo
(tú)	sueles
(él, ella, usted)	suele
(nosotros/as)	solemos
(vosotros/as)	soléis
(ellos/as, ustedes)	suelen

		Interesar*	
(a mí)		me	+ sustantivo singular
(a ti)		te	
(a él, ella, usted)		le	interesa
	(no)		+ infinitivo
(a nosotros/as)		nos	
(a vosotros/as)		os	interesan + sustantivo plural
(a ellos/as, ustedes)		les	

*Fíjate: este verbo funciona igual que el verbo *gustar*.

¡Vamos a conocernos mejor! 9

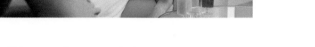

En esta unidad vas a aprender:

- A hablar del carácter de una persona
- A hablar de nuestras habilidades y aptitudes
- A pedir y ofrecer ayuda
- A pedir y aceptar disculpas
- A pedir permiso y concederlo
- A hablar de experiencias vividas a lo largo de la vida
- A hablar de experiencias recientes
- A expresar estados de ánimo
- Quién era Pablo Neruda
- De qué nos reímos

COMUNICACIÓN	GRAMÁTICA	VOCABULARIO	CULTURA Y SOCIOCULTURA	TEXTOS
Preguntar y dar información sobre las habilidades de una persona	Pretérito perfecto	El carácter	Poesía y sentimientos: Pablo Neruda	Anuncios
Pedir ayuda y concederla	El participio	Expresiones que acompañan al pretérito perfecto	El humor	Conversación telefónica
Negar la ayuda y disculparse	Combinación de dos pronombres personales átonos	Los estados de ánimo		Mensaje de correo electrónico
Aceptar las disculpas	La preposición *a*: *a* + OD de persona, *a* + OI	Saludos en los mensajes informales		Poema
Ofrecer ayuda y aceptarla		Despedidas en los mensajes informales		Viñeta
Pedir permiso y concederlo				
Pedir un objeto				
Preguntar y responder sobre experiencias en la vida y sobre acciones pasadas relacionadas con el presente				
Preguntar por el estado de ánimo y responder				

1. Buscar un compañero de piso

a. V ¿Cómo son las personas de los dibujos? En parejas, elegid uno o dos adjetivos para cada uno.

SIMPÁTICO/A			PESIMISTA
ALEGRE	TRABAJADOR/A	ANTIPÁTICO/A	VAGO/A
ORDENADO/A	SERIO/A	TRISTE	DIVERTIDO/A
GENEROSO/A	RESPONSABLE	DESORDENADO/A	IRRESPONSABLE
OPTIMISTA	TÍMIDO/A	EGOÍSTA	SOCIABLE

b. V Elige uno de los adjetivos anteriores y explica a tu compañero cómo es o se comporta una persona que es así. Él debe averiguar qué adjetivo has elegido.

♦ *Una persona así es una persona que comparte las cosas con sus amigos.*

♦ *¡Es una persona generosa!*

♦ *Sí.*

c. 📖 En parejas, leed los siguientes anuncios de dos personas que buscan una habitación en un piso compartido en Salamanca y de dos personas que ofrecen habitaciones en alquiler. Relacionadlos.

www.compartirpiso.com

Busco habitación
Población: Salamanca
Precio máximo: 285 €
Teléfono de contacto: 654 26 78 24
Presentación:
Hola, me llamo Mario y soy de Madrid. Necesito una habitación en un piso compartido para el curso que viene. Soy una persona simpática y divertida. Toco la guitarra y sé cocinar. Hablo italiano e inglés.

Busco habitación
Población: Salamanca
Precio máximo: 300 €
Teléfono de contacto: 636 03 78 63
Presentación:
Hola, me llamo Ana, tengo 31 años y busco un sitio para quedarme una larga temporada. Soy una persona tranquila, alegre y ordenada. No fumo y no tengo animales domésticos, pero me gustan. Hago yoga.

Ofrezco habitación
Población: Salamanca
Precio: 280 €
Teléfono de contacto: 923 45 47 43
Presentación:
Ofrezco piso para compartir en zona céntrica. Busco una persona abierta, simpática y sociable. Tengo un gato y un perro. ¡Ah! Me llamo Marta.

Ofrezco habitación
Población: Salamanca
Precio: 250 €
Teléfono de contacto: 923 89 65 34
Presentación:
Hola, me llamo José Luis. Busco compañero de piso, serio y responsable. Soy una persona muy ordenada, tranquila y trabajadora. No me gustan los ruidos.

2. El compañero de piso ideal

a. (42) **Escucha la conversación telefónica entre Mario y José Luis y contesta a las preguntas.**

- ¿Cómo trata Mario a José Luis, de *tú* o de *usted*? ¿Y José Luis a Mario? ¿Por qué?
- ¿Cuántos años tiene Mario?
- ¿Qué estudia en Salamanca?
- ¿Qué crees que no le gusta a José Luis de Mario?
- ¿Le alquila finalmente la habitación?

b. **Prepara una encuesta con diez preguntas para descubrir si alguno de tus compañeros puede ser un buen compañero de piso para ti. Te damos algunas ideas.**

	Sí	No
¿Eres responsable?		
¿Eres ordenado?		
¿Tienes algún animal doméstico?		
¿Tocas algún instrumento?		
¿Sabes cocinar?		
¿Te levantas pronto los domingos?		
…		

c. C **Y tú, ¿eres un buen compañero? ¿Cómo reaccionas en estas situaciones? Marca las respuestas que darías.**

- Perdona, ¿puedes ayudarme a subir esta caja?
  - **1.** ◆ Lo siento, no puedo, es que tengo mucha prisa.
  - **2.** ◆ Sí, claro.

- ¿Puedo ayudarte?
  - **1.** ◆ No, gracias, ya lo hago yo solo.
  - **2.** ◆ Sí, muchas gracias.

- ¿Puedo pasar?
  - **1.** ◆ No, estoy ocupado.
  - **2.** ◆ Sí, claro. Pasa, pasa.

- ¿Puedo abrir la ventana?
  - **1.** ◆ No, tengo frío.
  - **2.** ◆ Sí, claro. Ábrela, ábrela.

- ¿Puedo hablar contigo un momento?
  - **1.** ◆ No, ahora no, es que tengo mucha prisa.
  - **2.** ◆ Sí, claro.

- ¿Puedes prestarme un bolígrafo rojo, por favor?
  - **1.** ◆ Lo siento, pero es que los necesito yo.
  - **2.** ◆ Sí, claro. Cógelo, cógelo.

Si has elegido en tres o más ocasiones la respuesta 1, es mejor que no compartas piso.

COMUNICACIÓN C

Preguntar y dar información sobre las habilidades de una persona

- ◆ *¿Sabes hablar inglés/cocinar…?*
- ◆ *Sí, sí sé.*
- ◆ *¿Tocas algún instrumento?*
- ◆ *Sí, toco el violín.*

Pedir ayuda y concederla

- ◆ *¿Puede/s ayudarme, por favor?*
- ◆ *Sí, claro.*

Negar la ayuda y disculparse

- ◆ *Lo siento, no puedo, es que tengo mucha prisa.*

Aceptar las disculpas

- ◆ *No pasa nada. No tiene importancia.*

Ofrecer ayuda y aceptarla

- ◆ *¿Puedo ayudarle/te?*
- ◆ *Sí, muchas gracias.*

Pedir permiso y concederlo

- ◆ *¿Puedo pasar?*
- ◆ *Sí, claro. Pasa, pasa.*

Pedir un objeto

- ◆ *¿Puedes prestarme/dejarme/darme un bolígrafo rojo, por favor?*

3. ¿Qué experiencias importantes has tenido en la vida?

a. 📖 En la vida de toda persona hay experiencias que no se olvidan. Señala en esta lista las que ya has realizado y añade otras dos que te parezcan importantes en tu vida.

GRAMÁTICA G

Pretérito perfecto

(yo)	he	
(tú)	has	
(él, ella, usted)	ha	+ participio
(nosotros/as)	hemos	
(vosotros/as)	han	
(ellos/as, ustedes)	hemos	

El participio regular

-ar	-er	-ir
gan___	comido	viv___

Algunos participios irregulares

Verbo	Participio
decir	dicho
escribir	___
hacer	___
poner	puesto
romper	roto

VOCABULARIO V

Expresiones de frecuencia que acompañan al pretérito perfecto

muchas veces
varias veces
una vez/dos veces/tres veces…
alguna vez
nunca*

*Si *nunca* va detrás del verbo, es necesaria la negación *no*:

◆ *No he ganado nunca una medalla.*

■ ☐ Me he casado.
■ ☐ He tenido un hijo.
■ ☐ Me he comprado una casa.
■ ☐ He vivido en otro país.
■ ☐ He escrito una carta de amor.
■ ☐ He ido a trabajar sin dormir.
■ ☐ He hecho *puenting*.
■ ☐ He hecho un viaje en barco.
■ ☐ He escalado una montaña.
■ ☐ He ganado una medalla.
■ ☐ …

b. G Fíjate en las formas verbales de la lista anterior y completa los participios de los verbos del cuadro de gramática.

c. 🗨 Ahora pregunta a tus compañeros y busca uno que comparta contigo al menos dos experiencias.

◆ *¿Has escrito alguna vez una carta de amor?*
◆ *No, nunca.*
◆ *¿Has escalado alguna vez una montaña?*
◆ *Sí, muchas veces.*

4. ¿Nos parecemos?

a. Haz una encuesta en clase y contesta a estas preguntas.
¿Quiénes tienen hábitos más parecidos?

	NOMBRES
¿Quiénes han hecho estas cosas en el mismo orden esta mañana: levantarse, desayunar y ducharse?	
¿Quiénes se han acostado esta noche después de las doce?	
¿Quiénes han hecho la compra esta semana?	
¿Quiénes han ido al cine este fin de semana?	
¿Quiénes han comprado dos cosas iguales este mes?	
¿Quiénes han viajado a los mismos lugares este año?	

VOCABULARIO
Expresiones de tiempo
que acompañan al pretérito
perfecto

hoy
esta mañana/tarde/noche
este fin de semana
esta semana
este mes
este verano
este curso
este año

Otras expresiones de tiempo
que acompañan al pretérito
perfecto

ya
todavía no

V

b. Piensa en las actividades que ya has realizado y en las que todavía no
y completa la tabla. Añade otras dos que ya has hecho.

	YA	TODAVÍA NO
Escribir un mensaje de correo electrónico en español		
Escuchar la radio en español		
Ver una película española o hispanoamericana		
Hablar con hablantes nativos de español		
Probar la comida española o hispanoamericana		
Visitar algún lugar de España o Hispanoamérica		
Cantar una canción en español		
Buscar información en una página web en español		

flores de otro mundo
dirigida por **icíar bollaín**

c. Pregunta a tus compañeros si ellos ya han hecho algunas de estas cosas.

◆ ¿Has escrito ya algún mensaje de correo electrónico en español?

◆ No, todavía no.

d. Después de realizar las actividades 2, 3 y 4, ¿con qué compañero
de la clase crees que tienes más cosas en común?

◆ Sandra y yo somos personas tranquilas. A las dos nos gusta hacer montañismo
y hemos estado en España.

5. Un mensaje de correo electrónico

a. **G** Alfonso ha recibido un mensaje de su amiga Celia. Léelo y complétalo con los verbos adecuados como en el ejemplo.

TENER
ESTAR
ACORDARSE
TERMINAR
VER
ENAMORARSE
SEPARARSE
PREGUNTAR
ENCONTRAR
CAMBIAR
HABER
MUDARSE

Mensaje

Archivo   Edición   Ver   Insertar   Formato   Herramientas   Tabla   Ventana   ?   Escriba una pregunta   ▾ ✕

Enviar   ▾   Opciones...   ▾   HTML   ▾

Para...   alfonso@correo.es

CC...

Asunto: Hola

Arial   ▾   10   ▾

¡Hola, Alfonso!

¿Cómo estás? __Me he acordado__ mucho de ti últimamente.

Este fin de semana _____ en casa de mis padres y _____ a mucha gente de la Universidad. Todos me _____ por ti y te mandan muchos recuerdos.

_____ a Pedro y no te lo vas a creer: __se ha separado__ de Lola y _____ de ciudad, ahora vive en Granada.

¿Te acuerdas de María? _____ dos niños preciosos y está guapísima.

Luis todavía no _____ la carrera de Derecho, pero Gemma _____ trabajo como presentadora de televisión, así que se casan esta primavera. Les he dado la enhorabuena, claro. Nos han invitado a los dos a la boda, así que tenemos que comprarles un regalo. ¿Se lo compramos juntos?

Bueno, no sé qué más contarte. ¡Ah! En mi vida no _____ muchos cambios, todo sigue igual.

Cuéntame cómo te ha ido este año y si hay cambios en tu vida: ¿_____ de trabajo? ¿ __Te has enamorado__ ?

Un beso, Celia

P. D.: Tengo fotos del encuentro. Te las envío.

8 elementos   Esta carpeta está actualizada.   Conectado ▾

b. **G** Fíjate en estas oraciones del mensaje. ¿A quién o a quiénes se refieren los pronombres destacados?

- **Te** mandan muchos recuerdos.
- **Les** he dado la enhorabuena.
- **Nos** han invitado a los dos a la boda.
- ¿**Se lo** compramos juntos?
- **Te las** envío.

A Alfonso
Las fotos
El regalo
A Alfonso y a Celia
A Gemma y a Luis

GRAMÁTICA

Combinación de dos pronombres personales átonos

Cuando los pronombres de objeto indirecto *le, les* se combinan con los pronombres de objeto directo *lo, la, los, las*, se convierten en *se*: ~~Le lo dije~~ → *Se lo dije.*

Cuando utilizamos dos pronombres, primero va el de objeto indirecto y a continuación el de objeto directo: ◆ ¿*Se lo compramos juntos?*

La preposición *a*

a + objeto directo de persona
◆ *He visto a Elena por la calle.*

a + objeto indirecto
◆ *Le he dado el regalo a Juan.*

c. **G** Elige el final correcto para cada oración.

1. He visto a...	2. He escrito a...
– Pedro este fin de semana.	– un mensaje electrónico.
– una película muy buena este fin de semana.	– Alfonso.

3. Les he comprado el regalo...	4. Le he enviado las fotos...
– a Gemma y a Luis.	– a Luis.
– Gemma y Luis.	– Luis.

G

6. ¿Cómo estás?

a.  En parejas, observad estas fotografías. ¿Qué creéis que le pasa a cada uno?

ESTÁ NERVIOSO/A.

ESTÁ CANSADO/A.

TIENE MIEDO.

ESTÁ ASUSTADO/A.

ESTÁ TRISTE.

ESTÁ CONTENTO/A.

ESTÁ ABURRIDO/A.

ESTÁ PREOCUPADO/A.

b. V ¿Por qué crees que están así? Imagina una causa para cada uno utilizando estas oraciones. Compáralas con las de tu compañero.

TIENE UNA ENTREVISTA DE TRABAJO.

NO TIENE CON QUIEN JUGAR.

TIENE UN EXAMEN.

HA VISTO UNA ARAÑA.

HA HECHO MUCHO EJERCICIO.

HA TENIDO UN HIJO.

◆ *Está muy nervioso porque tiene una entrevista de trabajo muy importante.*

c. 43 Escucha a estas personas. ¿Has acertado en las causas?

d. ¿Te acuerdas de tus amigos del colegio o del instituto? Piensa en uno de ellos que hace tiempo que no ves. Escríbele un mensaje de correo electrónico: cuéntale cómo estás y dale noticias de otros dos compañeros de aquella época. Vuelve a leer el mensaje de la actividad 5. a., si es necesario.

VOCABULARIO V

Saludos en los mensajes informales

¡Hola, Alfonso!

Querida Marta:

Despedidas en los saludos informales

Un (fuerte) abrazo,
Un beso,
Besos,
Hasta pronto,

7. Poesía y sentimientos: Pablo Neruda

a. V Estas palabras aparecen en el poema que vais a leer a continuación. En parejas, relacionad cada dibujo con su palabra correspondiente.

| CAMPANA | ALFOMBRA | REINA | CORONA |

b. 📖 Lee ahora el siguiente poema de Pablo Neruda e intenta colocar las palabras anteriores en su lugar correspondiente.

La reina

Yo te he nombrado _____.
Hay más altas que tú, más altas.
Hay más puras que tú, más puras.
Hay más bellas que tú, hay más bellas.
Pero tú eres la _____.

Cuando vas por las calles
nadie te reconoce.
Nadie ve tu _____ de cristal, nadie mira
la _____ de oro rojo que pisas donde pasas
la _____ que no existe.

Y cuando asomas
suenan todos los ríos
en mi cuerpo, sacuden
el cielo las _____,
y un himno llena el mundo.

Sólo tú y yo,
sólo tú y yo, amor mío,
lo escuchamos.

NERUDA, P., *Veinte poemas de amor y una canción desesperada*

c. 🔊44 Escucha ahora el poema recitado y comprueba tus respuestas.

d. 🔲 ¿Cómo crees que se siente el poeta? Coméntalo con tus compañeros. Os damos algunas ideas.

- Está muy contento.
- Está enamorado.
- Está triste.
- Tiene miedo de perder a su pareja.
- Está celoso.

e. 🔲 Cs ¿Te gusta la poesía? ¿Conoces el nombre de algún otro poeta español o hispanoamericano? Coméntalo con tus compañeros.

PINCELADAS

■ El escritor chileno Pablo Neruda (1904-1973) es autor de una amplísima obra poética, en la que sobresalen títulos como *Residencia en la tierra*, *Canto general* u *Odas elementales*. Su poesía ofrece una gran variedad temática, desde el amor hasta la denuncia de las injusticias sociales de su tiempo. El libro *Veinte poemas de amor y una canción desesperada*, al que pertenece el poema anterior, es uno de los mejores poemarios amorosos del siglo xx. En 1971, Neruda fue galardonado con el premio Nobel.

8. El humor

a. Responded a las siguientes preguntas y comparad vuestras respuestas.

- ¿Te ríes cuando te cuentan un chiste?
- ¿Te gustan las películas cómicas? ¿Recuerdas algún título?
- ¿Lees las viñetas cómicas de los periódicos? ¿Te hacen gracia?
- ¿Crees que las mujeres y los hombres se ríen de las mismas cosas?
- ¿Conoces algún dibujante de humor gráfico español o hispanoamericano?

b. Lee el siguiente texto sobre la humorista Maitena y elige la oración que resuma mejor su contenido.

- El humor de Maitena es solo para mujeres.
- El humor de Maitena es para todos.
- El humor de Maitena es solo para adultos.

Maitena ha abierto un camino muy particular y muy especial, porque parece que dibuja o habla sobre mujeres, pero en realidad está hablando de todos nosotros. Y, como todas las mujeres que en algún momento hablamos sobre mujeres, tenemos que romper el prejuicio de que solo hacemos cosas para un público femenino.
Ella se ha ganado el corazón y la sonrisa de todos nosotros. Tiene una gran conexión con un público –algo que es muy difícil establecer– muy amplio, de todas las edades, y es algo que debería darnos envidia a muchos autores. Es prodigioso: parece que el argumento que cuenta fundamentalmente es «qué nos pasa a las mujeres», y ese «qué nos pasa a las mujeres» interesa a los jóvenes, personas mayores, hombres... Y eso es porque está hablando de todos nosotros.

Por Elvira Lindo

(Fuente: http://clubcultura.com/clubhumor
/maitena/maitenalindo/01.htm)

© Maitena

c. Ahora fijaos en la viñeta. ¿Os ha hecho gracia?

PINCELADAS

- En la actualidad la argentina Maitena Burundarena es una de las humoristas gráficas más conocidas internacionalmente. Sus viñetas se publican tanto en diarios argentinos (*La Nación*), como españoles (*El País*). Otros grandes humoristas españoles e hispanoamericanos son Antonio Mingote, Quino, Chumy Chúmez o Andrés Rábago, *El Roto*, todos ellos galardonados con el Premio Iberoamericano de Humor Gráfico Quevedos.

COMUNICACIÓN

Preguntar y dar información sobre las habilidades de una persona

◆ *¿Sabes hablar inglés/cocinar…?*

◆ *Sí, sí sé.*

◆ *¿Tocas algún instrumento?*

◆ *Sí, toco el violín.*

Pedir ayuda y concederla

◆ *¿Puede/s ayudarme, por favor?*

◆ *Sí, claro.*

Negar la ayuda y disculparse

◆ *Lo siento, no puedo, es que tengo mucha prisa.*

Aceptar las disculpas

◆ *No pasa nada. No tiene importancia.*

Ofrecer ayuda y aceptarla

◆ *¿Puedo ayudarle/te?*

◆ *Sí, muchas gracias.*

Pedir permiso y concederlo

◆ *¿Puedo pasar?*

◆ *Sí, claro. Pasa, pasa.*

Pedir un objeto

◆ *¿Puedes prestarme/dejarme/darme un bolígrafo rojo, por favor?*

Preguntar y responder sobre experiencias en la vida y sobre acciones pasadas relacionadas con el presente

◆ *¿Has escrito alguna vez una carta de amor?*

◆ *No, nunca.*

◆ *¿Quién se ha acostado esta noche después de las doce?*

◆ *Yo.*

◆ *¿Has escrito ya algún mensaje de correo electrónico en español?*

◆ *No, todavía no.*

Preguntar por el estado de ánimo y responder

◆ *¿Cómo estás?*

◆ *Estoy muy nerviosa porque esta tarde tengo un examen.*

GRAMÁTICA

Pretérito perfecto

(yo)	he	
(tú)	has	
(él, ella, usted)	ha	+ participio
(nosotros/as)	hemos	
(vosotros/as)	habéis	
(ellos/as, ustedes)	han	

El participio regular

-ar	-er	-ir
hablado	comido	vivido

Algunos participios irregulares

Verbo	Participio
decir	dicho
escribir	escrito
hacer	hecho
poner	puesto
romper	roto

Combinación de dos pronombres personales átonos

Cuando los pronombres de objeto indirecto *le*, *les* se combinan con los pronombres de objeto directo *lo, la, los, las*, se convierten en *se*: Le lo dije → ◆ *Se lo dije.*

Cuando utilizamos dos pronombres, primero va el de objeto indirecto y a continuación el de objeto directo:

◆ *¿Se lo compramos juntos?*

La preposición *a*

a + objeto directo de persona

◆ *He visto a Elena por la calle.*

a + objeto indirecto

◆ *Le he dado el regalo a Juan.*

VOCABULARIO

El carácter

Optimista, pesimista, desordenado, ordenado, trabajador, vago…

Expresiones que acompañan al pretérito perfecto

muchas veces	hoy	ya
varias veces	esta mañana/	todavía no
dos veces	tarde/noche	
alguna vez	este fin de semana	
una vez	esta semana	
nunca*	este mes	
	este verano	
	este curso	
	este año	

*Si *nunca* va detrás del verbo, es necesaria la negación *no*:

◆ *No he ganado nunca una medalla.*

Los estados de ánimo

Estar contento, estar triste, estar aburrido, tener miedo…

Saludos en los mensajes informales

¡Hola, Alfonso!; Querida Marta:

Despedidas en los mensajes informales

Un (fuerte) abrazo; Un beso; Besos; Hasta pronto…

Presentación

Vais a elaborar una revista en español.

Instrucciones

1. Se forman grupos de tres o cuatro personas.

2. Cada grupo elabora los contenidos de las diferentes secciones de la revista siguiendo los pasos del proyecto.

3. Cada grupo edita su revista, es decir, diseña en una cartulina la forma y el espacio que van a dar a cada noticia, escribe las noticias y pega las fotos.

4. Enseñad vuestra revista al resto de la clase.

Vais a necesitar:

- ■ Revistas y periódicos
- ■ Cartulina (tamaño A3)
- ■ Tijeras
- ■ Papel
- ■ Pegamento

Antes de empezar

Lee estos fragmentos de una revista. ¿A qué sección corresponde cada uno?

- ■ Humor
- ■ El tiempo
- ■ Viajes
- ■ Noticias de actualidad
- ■ Consultorio
- ■ Anuncios por palabras
- ■ Cultura y ocio

Una ciudad mágica
Cartagena de Indias, además de ser el más importante centro turístico de la Costa Caribe colombiana, es uno de los principales centros de negocios, reuniones, cumbres y convenciones del Caribe Latino.

(a)

Querídos amigos:
No sé si estoy enamorado. A veces estoy feliz y otras veces estoy muy triste. Mi estado de ánimo depende de otra persona. Cuando me habla, estoy nervioso; cuando no me habla, estoy preocupado.
¿Qué puedo hacer? ¿Podéis ayudarme?

(c)

Llega un frente atlántico que por la tarde va a dejar las primeras lluvias por el oeste de la Península. En Canarias la nubosidad es abundante con posibilidad de lluvias intermitentes y muy aisladas. Las temperaturas bajan en todas las comunidades, excepto en las del Cantábrico, donde los vientos cálidos del sur y suroeste no permiten que los termómetros bajen. En Andalucía y Murcia, tiempo soleado.

(b)

Chica de 21 años. Estudiante de Económicas. Soy muy trabajadora, ordenada y puntual. Cocino muy bien. Canto y bailo flamenco y toco la guitarra. Hablo cinco idiomas. Busco hablante de español para intercambio.
Tel.: 625 44 44 44.

(d)

El Premio Cervantes se entrega hoy
El Rey don Juan Carlos entrega hoy el Premio Cervantes, que desde 1975 concede el Ministerio de Cultura y que tiene una dotación económica de 90 152 euros, al escritor mexicano Sergio Pitol.

(e)

(f)

Drama: *Trenes que van al mar*
Director: Carlos Martín
Intérpretes: Jeannine Mestre y Enriqueta Carballeira
En: Círculo de Bellas Artes
Dirección: Calle de Alcalá, 42
Tel.: 913 605 400

(g)

Antigua (Guatemala).

1. Sección: viajes

a. Elegid una ciudad española o hispanoamericana.

b. Buscad información sobre ella en Internet, en enciclopedias o en revistas.

c. Redactad un pequeño reportaje escrito sobre la ciudad y pensad en un titular sugerente.

Incluid

- **Dónde está situada**
- **Extensión**
- **Número de habitantes**
- **Motivos por los que es famosa (gastronomía, playas, arte, etc.)**
- **Servicios que ofrece**
- **Su clima en las diferentes épocas del año**
- **Cualquier otra cosa que os parezca importante**

2. Sección: noticias de actualidad

a. En este apartado vais a buscar un acontecimiento que tiene lugar hoy mismo en España o en algún país de Hispanoamérica. Podéis buscar esa información en la versión en Internet de los periódicos en español.

b. Resumid la noticia en una o dos oraciones. El titular debe incluir la palabra *hoy*.

Incluid

- **Edad**
- **Sexo**
- **Lenguas que habla**
- **Profesión u ocupación**
- **Capacidades y habilidades**
- **Aficiones y gustos**
- **Carácter**
- **Teléfono/correo electrónico de contacto**

3. Sección: anúnciate

Imaginad que buscáis hablantes nativos de español para hacer un intercambio de idiomas. Cada miembro del grupo debe redactar un anuncio en el que, además de sus datos personales básicos (nombre, edad, lenguas que habla, etc.), describa sus habilidades, sus aficiones y su forma de ser.

4. Sección: el tiempo

a. ¿Qué tiempo hace en España ahora mismo? Buscad información y colocad los símbolos en el mapa.

b. Redactad un breve texto sobre el tiempo que hace hoy en España según vuestro mapa.

5. Sección: consultorio

a. Haced un listado de posibles problemas y seleccionad uno.

- No encuentro piso.
- No puedo dormir.
- Mi compañero de piso no hace nada en casa.
- Mi gato se ha perdido.

b. Debéis redactar una pequeña carta en tono informal donde una persona explica su problema y cómo se siente y pide ayuda a los lectores.

6. Sección: cultura y ocio

Buscad información sobre las actividades culturales y de ocio de la ciudad española o hispanoamericana que habéis elegido para la sección de viajes. Seleccionad las tres que os parezcan más interesantes.

Incluid

- **Título del espectáculo, la exposición, la película, etc.**
- **Tipo de actividad (obra de teatro, danza, película, exposición, concierto, etc.)**
- **Dónde tiene lugar**
- **Dirección**
- **Precio de las entradas**

7. Sección: humor

Buscad en revistas, en periódicos, en Internet, etc., una tira cómica o un chiste gráfico que os guste a todos.

8. Taller de edición

a. Coged una cartulina de tamaño grande (tamaño A3).

b. Pensad el nombre de vuestra revista.

c. Dividid el espacio de la cartulina para las diferentes secciones.

d. Incluid los textos que habéis redactado en las secciones correspondientes. No olvidéis repasarlos antes de pegarlos. Buscad fotos o haced dibujos que los ilustren.

e. Poned vuestros nombres al final de la revista.

f. Por último, pegad vuestra revista en la pared del aula.

9. Exposición

Leed las revistas de los demás grupos y disfrutad de vuestro trabajo.

Los mejores años de nuestra vida

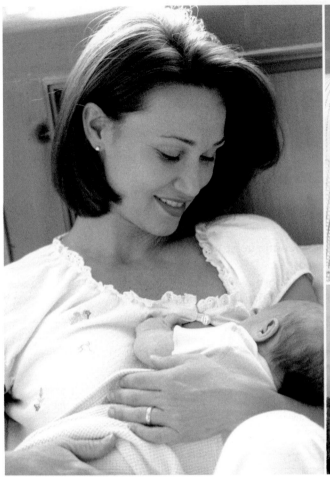

En esta unidad vas a aprender:

- A pedir y dar información sobre hechos pasados

- A hablar sobre la biografía de una persona

- A valorar experiencias y hechos pasados

- A preguntar cuando no has entendido algo

- A repetir lo dicho cuando no te han comprendido

- Algunos personajes, periodos y acontecimientos históricos de España e Hispanoamérica

COMUNICACIÓN	GRAMÁTICA	VOCABULARIO	CULTURA Y SOCIOCULTURA	TEXTOS
Pedir y dar información sobre hechos, acontecimientos y acciones pasadas	Pretérito indefinido	Verbos relacionados con la biografía de una persona	Personajes, periodos y acontecimientos históricos	Conversaciones cara a cara
	Perífrasis verbales: *seguir* + gerundio, *empezar a* + infinitivo, *acabar de* + infinitivo, *volver a* + infinitivo			Biografías
Valorar una experiencia		Expresiones de tiempo que acompañan al pretérito indefinido	La prensa	Noticias
Pedir confirmación para verificar que se ha entendido	Interrogativos: *cuándo, qué, cuánto*	Adjetivos para valorar		Cronologías
Repetir lo dicho cuando el interlocutor no ha comprendido		Las secciones de un periódico		
		Periodos y acontecimientos históricos		

1. La vida de Elisa y de Juan

a. 📖 Elisa le está enseñando su álbum de fotos a su amiga Elena. Antes de escucharla, intenta ordenar los siguientes acontecimientos de su vida por orden cronológico.

- ☐ Empecé a salir con Juan.
- ☐ Nació mi primer hijo.
- ☐ Me divorcié de Juan.
- ☐ Me casé con Juan.
- ☐ Vivimos en París.
- ☐ Acabé de estudiar la carrera.
- ☐ Volví a trabajar.

b. 🔊45 Escucha la conversación y comprueba tus hipótesis.

c. Fíjate en las terminaciones de las formas verbales de las oraciones de 1. a. y completa el cuadro de gramática.

GRAMÁTICA

Pretérito indefinido. Verbos regulares

	Casarse	Nacer	Vivir
(yo)	me cas___	nací	viví
(tú)	te casaste	naciste	viviste
(él, ella, usted)	se casó	nac___	vivió
(nosotros/as)	nos casamos	nacimos	viv___
(vosotros/as)	os casasteis	nacisteis	vivisteis
(ellos/as, ustedes)	se casaron	nacieron	vivieron

Pretérito indefinido. Verbos irregulares más frecuentes

Verbo	Raíz irregular en pretérito indefinido	Desinencias
andar	anduv-	
estar	estuv-	
decir	dij-	-e
hacer	hic-	-iste
poder	pud-	-o
poner	pus-	+ -imos
querer	quis-	-isteis
tener	tuv-	-ieron
venir	vin-	

	Ir/Ser
(yo)	fui
(tú)	fuiste
(él, ella, usted)	fue
(nosotros/as)	fuimos
(vosotros/as)	fuisteis
(ellos/as, ustedes)	fueron

G

d. 🔊45 Vuelve a escuchar a Elisa. ¿Son verdaderas (V) o falsas (F) las siguientes afirmaciones sobre la vida de Juan, su ex marido?

	V	F
Empezó a salir con Elisa a los 24 años.	☐	☐
Se casó con Elisa el 12 de octubre de 2002.	☐	☐
Trabajó en París desde 2002 hasta 2005.	☐	☐
Tuvo su primer hijo en 2006.	☐	☐
Se divorció de Elisa hace dos años.	☐	☐
Sigue siendo amigo de Elisa.	☐	☐

e. G Subraya en las afirmaciones anteriores las expresiones de tiempo que acompañan al pretérito indefinido.

f. G Piensa tres fechas importantes de tu vida pasada. Tu compañero debe adivinar qué acontecimiento se relaciona con cada una de ellas haciéndote preguntas. Tú solo puedes responder *sí* o *no*.

◆ *El 1 de enero de 1974...*

◆ *¿Naciste?*

◆ *¡Sí!*

2. El verano pasado

a. Estos viajeros han dejado sus opiniones sobre algunos destinos turísticos y actividades en la página web de una agencia de viajes. Léelas y relaciona cada una con una fotografía.

www.deviaje.es

☆☆☆☆ **Un fin de semana en Sevilla,** por Pedro

Hace dos semanas mi novia y yo pasamos un estupendo fin de semana en Sevilla. Es una ciudad preciosa. Paseamos por el barrio de Santa Cruz, vimos la Catedral, el Alcázar, el Museo de Bellas Artes…

☆☆☆☆ **Unas vacaciones tranquilas,** por Marta

Mi marido y yo estuvimos el pasado mes de agosto durante una semana en Lanzarote. Es una isla preciosa con unas playas muy bonitas. Fueron unas vacaciones muy tranquilas y descansamos mucho.

☆☆☆☆ **Asturias,** por Susana

El año pasado pasé dos semanas de julio en Asturias con mis hijos. Es una comunidad autónoma muy bonita. Tiene unas montañas impresionantes. Montamos a caballo, hicimos excursiones, visitamos muchos pueblos y comimos muy, muy bien.

☆☆☆☆ **El Camino de Santiago,** por Enrique

La Semana Santa pasada unos amigos y yo hicimos tres etapas del Camino de Santiago, desde Palas de Rey hasta Santiago de Compostela. Anduvimos casi 70 km. ¡Fue una experiencia muy bonita!

b. Vuelve a leer los mensajes y completa la tabla.

	¿CUÁNDO?	¿DÓNDE?	¿CON QUIÉN?	¿QUÉ HIZO?	¿LE GUSTÓ LA EXPERIENCIA?
Marta					
Enrique					
Pedro					
Susana					

c. En parejas, completad la tabla con las palabras de la lista.

¿CUÁNDO?	¿DÓNDE?	¿CON QUIÉN?	¿QUÉ HIZO?	¿CÓMO FUE LA EXPERIENCIA?

EL VERANO PASADO	VISITAR MONUMENTOS	PLAYA	PASEAR	EL FIN DE SEMANA PASADO
COMPRAR OBJETOS DE ARTESANÍA	MONTAR EN BICICLETA	SAN SEBASTIÁN	EL INVIERNO PASADO	EN NAVIDAD
PARQUE DE ATRACCIONES	ANOCHE	MÉXICO	ABURRIDA	MONTAÑA
ESQUIAR	NOVIO	AMIGOS	FAMILIA	DIVERTIDA
MARAVILLOSA	EL AÑO PASADO	FANTÁSTICA	AYER	PAREJA

d. Cuéntale a tus compañeros cómo fueron tus últimas vacaciones: dónde fuiste, qué hiciste…

3. Una biografía

a. 🔲 **Cs** ¿Qué sabéis de estos personajes? ¿Cómo se llaman? ¿A qué se dedicaron?

b. 📖 Lee la siguiente biografía. ¿A qué personaje de los anteriores pertenece?

(nacer, él) __Nació__ el 11 de mayo de 1904, hijo de un prestigioso notario de Figueres, Girona. Desde muy joven (dedicarse, él) _____ al dibujo y la pintura, y en 1922 (empezar, él) _____ los estudios de Bellas Artes en Madrid. Durante su estancia en la Residencia de Estudiantes de Madrid (inició, él) _____ una gran amistad con el poeta Federico García Lorca y con el cineasta Luis Buñuel, relación que (seguir, él) _____ manteniendo a lo largo de su vida y con los que (desarrollar, él) _____ numerosos proyectos artísticos vanguardistas.

Después de estudiar en Madrid, (marcharse, él) _____ a París y se integró en el grupo de pintores y escritores surrealistas. De este periodo son algunas de las obras que lo convirtieron en uno de los máximos representantes del surrealismo, como *El gran masturbador*, *El espectro del sex-appeal*, *El juego lúgubre* y *La persistencia de la memoria*. En 1929 (enamorarse, él) _____ de la joven rusa Helena Diakonova, conocida con el sobrenombre de Gala, que desde entonces se convirtió en su modelo y compañera.

La persistencia de la memoria.

Coincidiendo con el inicio de la Segunda Guerra Mundial, (vivir, él) _____ durante unos años, desde 1940 hasta 1948, en los Estados Unidos, donde su pintura (tener) _____ mucho éxito. (escribir, él) _____ una autobiografía y también trabajó para el cine, el teatro, la ópera y el *ballet*. De los años cuarenta son obras importantes como *Autorretrato blando con beicon frito*, *La cesta de pan*, *Leda atómica* y *La Madonna de Portlligat*. Convertido en uno de los pintores más famosos del momento, en 1948 (volver, él) _____ a vivir a Europa y pasó largas estancias en su casa y taller de Portlligat.

La religión, la historia y la ciencia ocuparon, cada vez más, la temática de sus obras durante los años cincuenta y sesenta. Durante estos años (pintar, él) _____ obras muy conocidas, como *Cristo de San Juan de la Cruz*, *Galatea de las esferas*, *Corpus Hipercubicus*, *El descubrimiento de América por Cristóbal Colón* y *La última cena*.

Durante los años setenta Salvador Dalí (crear, él) _____ e inauguró el Teatro-Museo Dalí en Figueres, donde está expuesta una gran colección de su obra. Después de vivir durante muchos años en Portlligat, cuando murió su esposa Gala, se trasladó unos años al Castillo de Púbol y (pasar, él) _____ la última época de su vida en la Torre Galatea de Figueres, cerca del Teatro-Museo Dalí, donde (querer, él) _____ ser enterrado.

Cristo de San Juan de la Cruz.

En 1983 creó la Fundación Gala-Salvador Dalí, la institución que gestiona, protege y fomenta su legado artístico e intelectual. (morir, él) _____ el 23 de enero de 1989.

© Fundació Gala-Salvador Dalí, Figueres, 2006

GRAMÁTICA
Pretérito indefinido.
Otros verbos irregulares **G**

	Morir
(él, ella, usted)	murió
(ellos/as, ustedes)	murieron

c. **G** Vuelve a leerla y complétala con las formas adecuadas del pretérito indefinido.

4. Preguntas, preguntas…

a. G Ordena los elementos de estas preguntas.

- ¿año qué nació en?

_____

- ¿por cuándo pintura se interesó desde la?

_____

- ¿conoció dónde a Buñuel Lorca y a?

_____

- ¿qué en a año Gala conoció?

_____

- ¿Estados Unidos cuánto vivió tiempo en?

_____

- ¿Fundación Gala-Salvador Dalí año funciona desde qué la?

_____

b. 📖 Vuelve a leer la biografía de la actividad 3. b. y contesta a las preguntas anteriores. Compara tus respuestas con las de tu compañero.

c. 📖 Cs En parejas, preparad tres preguntas más sobre este personaje y sus respuestas. Buscad más información sobre su vida si es necesario. Después, hacédselas al resto de la clase. Gana la pareja que más respuestas acierte.

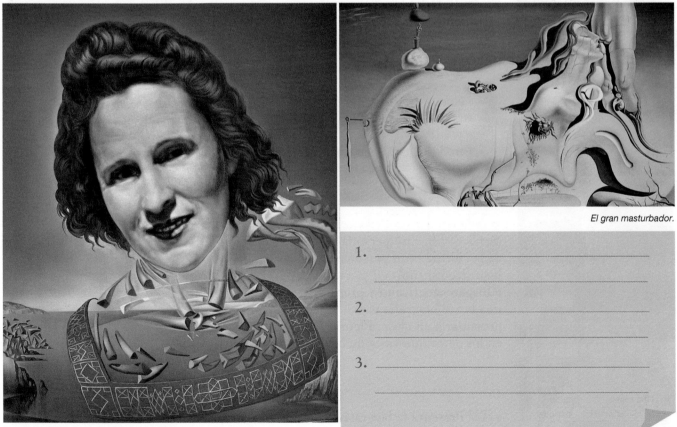

El gran masturbador.

1. _____
   _____

2. _____
   _____

3. _____
   _____

Retrato de Gala con síntomas rinocerónticos.

5. Una presentación en clase

a. 📖 Cs Un estudiante ha preparado la biografía de Federico García Lorca para contársela a sus compañeros en clase de Literatura. Antes de escucharlo, selecciona la opción que creas correcta en cada caso.

Federico García Lorca fue…
☐ un pintor mexicano.
☐ un cineasta argentino.
☐ un poeta y autor teatral español.

Vivió…
☐ en el siglo XVIII.
☐ en el siglo XX.
☐ en el siglo XIX.

Entre sus obras más conocidas están…
☐ *Romancero gitano* y *La casa de Bernarda Alba*.
☐ *Un perro andaluz* y *Viridiana*.
☐ *Marinero en tierra* y *Sobre los ángeles*.

Murió…
☐ exiliado en México.
☐ fusilado por los franquistas durante la Guerra Civil española.
☐ en la cárcel tras la Guerra Civil española.

b. 46 Escucha la presentación y comprueba tus respuestas.

c. 46 Relaciona cada pregunta con su respuesta. Vuelve a escuchar la presentación, si es necesario.

◆ *¿Puedes repetirlo, por favor?*
◆ *Enrique, por favor, ¿puedes hablar más despacio?*
◆ *Perdona, Enrique, ¿has dicho que vivió en la Residencia de Estudiantes entre 1919 y 1938?*
◆ *Perdona, Enrique, ¿puedes repetir el nombre del grupo teatral?*
◆ *Has dicho que murió fusilado en 1936, ¿verdad?*

◆ *La Barraca.*
◆ *No, vivió allí entre 1919 y 1928.*
◆ *Sí, claro.*
◆ *Sí, el 19 de agosto de 1936.*
◆ *Que Federico García Lorca nació el 5 de junio de 1898 en Fuente Vaqueros, Granada.*

GABRIEL GARCÍA MÁRQUEZ

RIGOBERTA MENCHÚ

SANTIAGO RAMÓN Y CAJAL

GABRIELA MISTRAL

d. 🔊 Cs Elige un personaje de la cultura o un personaje histórico español o hispanoamericano y prepara una breve biografía para presentarla en clase. Piensa en los datos que vas a incluir.

– Fecha y lugar de nacimiento
– Estudios
– Personas que conoció a lo largo de su vida
– Su obra
– Fecha y lugar de su muerte
– …

e. BLA Presenta la biografía en clase. Tus compañeros deben tomar nota de los datos más importantes.

6. Noticias

a. En parejas, leed los siguientes titulares. ¿A qué sección de un periódico pertenece cada uno?

El partido Real Madrid-Barcelona acaba en empate

La Feria de Arte Contemporáneo abre sus puertas

El paro baja en 88 552 personas

El número de conexiones a Internet de banda ancha crece un 16%

INTERNACIONAL

NACIONAL

OPINIÓN

SOCIEDAD

CULTURA

TECNOLOGÍA

ECONOMÍA

DEPORTES

b. Lee la siguiente noticia. ¿Con qué titular de los anteriores se corresponde?

Los Reyes don Juan Carlos y doña Sofía inauguraron ayer por la tarde la _____ [a] edición de la Feria de Arte Contemporáneo _____, que se celebra hasta el próximo _____ en el recinto ferial madrileño, IFEMA. En ella está expuesto, y a la venta, el arte de más de _____ mil artistas de los cinco continentes. Tras veinticinco años de vida, esta reunión es una de las citas artísticas más importantes y prestigiosas del mundo: más de 15 000 metros cuadrados de exposición y cerca de _____ galerías, de las que más de la mitad, 191, son_____ .

c. (47) Escucha ahora la noticia en la radio y completa los datos que te faltan.

d. Inventa tres titulares con las noticias más esperadas por todo el mundo. Compáralos con los de tus compañeros.

Se acaba el hambre en el mundo

7. Periodos y acontecimientos históricos de España e Hispanoamérica

a. 📖 Cs Relacionad los acontecimientos históricos con la fecha en la que creéis que se produjeron.

La Alhambra de Granada.　　Ruinas de Machu Picchu, Perú.　*Revolución y reforma*, de Diego Rivera.　　*Guernica*, de Pablo Picasso.

■ Simón Bolívar (Venezuela, 1783-Colombia, 1830) es conocido como el *Libertador* de los pueblos iberoamericanos. Convencido de la necesidad de la independencia de las colonias españolas, en 1819 Bolívar inició una campaña militar cuajada de éxitos: Colombia quedó liberada en 1819 tras la batalla de Boyacá; Venezuela lo fue en 1821 tras la de Carabobo, y Ecuador en 1822. En 1824 libró las últimas batallas y culminó la liberación del continente con la toma de las tierras del Alto Perú, que, en honor del *Libertador*, se denominaron República Bolívar (actual Bolivia).

Siglo I a. C	Se crea la Gran Colombia (Colombia, Ecuador y Venezuela). Simón Bolívar es nombrado su presidente en 1827.
En 711	Con Carlos I de España y V de Alemania comienza el reinado de los Austrias en España, que se convierte en una gran potencia.
Hacia el 1200	España entra en la Comunidad Económica Europea (CEE), hoy Unión Europea (UE).
En 1605	Se proclama la independencia de México.
Durante el siglo XVI	Franco muere y Juan Carlos es proclamado rey de España. La Constitución democrática se aprueba en 1978.
En 1819	Los musulmanes entran en la península Ibérica y se extienden por casi todo el territorio, que denominan al-Andalus.
En 1821	La dinastía inca se instala en Cuzco (Perú), creando un gran Imperio, hasta que en 1533 es conquistado por el español Francisco Pizarro.
En 1910	Se publica la primera parte de *El ingenioso hidalgo don Quijote de la Mancha*, de Miguel de Cervantes.
En 1936	Se inicia en México la revolución dirigida por Francisco Madero, Emiliano Zapata y Pancho Villa.
En 1959	Se constituye el Mercado Común del Sur (MERCOSUR), organización económica formada por Argentina, Brasil, Uruguay y Paraguay.
En 1973	Comienza el gobierno revolucionario de Fidel Castro en Cuba.
En 1975	Estalla la Guerra Civil española y se prolonga hasta 1939, año en el que el general Francisco Franco instaura una dictadura.
En 1986	Roma conquista la península Ibérica. El latín se impone como lengua y se adopta el Derecho romano.
En 1991	Augusto Pinochet protagoniza un golpe de Estado en Chile y derroca al presidente Salvador Allende.

b. 📖 Cs ¿A qué edad o edades pertenecen los acontecimientos anteriores?

Año 476 Cae el Imperio romano.

Año 1789 Se produce la Revolución Francesa.

PREHISTORIA	EDAD ANTIGUA	EDAD MEDIA	EDAD MODERNA	EDAD CONTEMPORÁNEA

Hace unos 3000 años Se inventa la escritura.

Año 1492 Cristóbal Colón llega a América. Los Reyes Católicos conquistan Granada, último reino musulmán.

8. La prensa en España e Hispanoamérica

a. [BLA BLA BLA] [Cs] Estos son los periódicos españoles más leídos.
¿De cuáles habéis oído hablar?

Información general

- ☐ *El País* (www.elpais.com)
- ☐ *El Mundo* (www.elmundo.es)
- ☐ *ABC* (www.abc.es)
- ☐ *La Vanguardia* (www.lavanguardia.es)

Información deportiva

- ☐ *Marca* (www.marca.com)
- ☐ *As* (www.as.com)

Información económica

- ☐ *Expansión* (www.expansion.com)
- ☐ *Cinco Días* (www.cincodias.com)

b. [BLA BLA BLA] [Cs] Fijaos ahora en estos periódicos hispanoamericanos. ¿En qué país creéis que se publica cada uno?

c. [BLA BLA BLA] [Cs] ¿Cuál es el periódico de mayor difusión en tu país? Coméntalo con tus compañeros.

PINCELADAS

- El universo de diarios escritos en lengua española se sitúa en una cifra próxima a los 960 títulos, con una difusión conjunta de unos quince mil ejemplares diarios. El número de lectores habituales de la prensa se aproxima al 15 % de la población adulta.

COMUNICACIÓN

Pedir y dar información sobre hechos, acontecimientos y acciones pasadas

◆ *¿En qué año nació Salvador Dalí?*

◆ *En 1904.*

◆ *¿Desde cuándo se interesó por la pintura?*

◆ *Desde muy joven.*

◆ *¿Cuánto tiempo vivió en Estados Unidos?*

◆ *8 años, desde 1940 hasta 1948.*

Valorar una experiencia

◆ *Fueron unas vacaciones muy tranquilas.*

◆ *Fue una experiencia muy bonita.*

Pedir confirmación para verificar que se ha entendido

◆ *Perdona, Enrique, ¿has dicho que vivió en La Residencia de Estudiantes entre 1919 y 1938?*

Repetir lo dicho cuando el interlocutor no ha comprendido

◆ *¿Puedes repetirlo, por favor?*

◆ *Que Federico García Lorca nació el 5 de junio de 1898 en Fuente Vaqueros, Granada.*

VOCABULARIO

Verbos relacionados con la biografía de una persona

Nacer, estudiar, casarse, divorciarse, vivir, morir…

Expresiones de tiempo que acompañan al pretérito indefinido

en 2006	ayer
el 12 de octubre de 2002	antes de ayer
a los 19 años	el fin de semana pasado
cuatro años después	la semana pasada
desde 2002 hasta 2005	el año pasado
hace dos años	el verano pasado

Adjetivos para valorar

Tranquilo, bonito, estupendo, maravilloso…

Las secciones de un periódico

Nacional, Internacional, Opinión, Economía…

Periodos y acontecimientos históricos

Prehistoria, Edad Antigua, Edad Media…; revolución, imperio, rey, golpe de Estado…

GRAMÁTICA

Pretérito indefinido. Verbos regulares

	Casarse	Nacer	Vivir
(yo)	me casé	nací	viví
(tú)	te casaste	naciste	viviste
(él, ella, usted)	se casó	nació	vivió
(nosotros/as)	nos casamos	nacimos	vivimos
(vosotros/as)	os casasteis	nacisteis	vivisteis
(ellos/as, ustedes)	se casaron	nacieron	vivieron

Pretérito indefinido. Verbos irregulares

Verbo	Raíz irregular en pretérito indefinido	Desinencias
andar	anduv-	
estar	estuv-	
decir	dij-	-e
hacer	hic-	-iste
poder	pud-	-o
poner	pus-	+ -imos
querer	quis-	-isteis
tener	tuv-	-ieron
venir	vin-	

	Ir/Ser	Morir
(yo)	fui	—
(tú)	fuiste	—
(él, ella, usted)	fue	murió
(nosotros/as)	fuimos	—
(vosotros/as)	fuisteis	—
(ellos/as, ustedes)	fueron	murieron

Perífrasis verbales

Seguir + gerundio

◆ *Siguen siendo buenos amigos.*

Empezar a + infinitivo

◆ *Juan empezó a salir con Elisa a los 24 años.*

Acabar de + infinitivo

◆ *Acabó de estudiar la carrera a los 23 años.*

Volver a + infinitivo

◆ *Volvió a trabajar después de tener su primer hijo.*

Interrogativos

Cuándo	¿Cuándo + verbo?
	◆ ¿Cuándo conoció a Gala?
	¿Preposición + cuándo + verbo?
	◆ ¿Desde cuándo se interesó por la pintura?
Qué	¿Preposición + qué + sustantivo?
	◆ ¿En qué año nació Salvador Dalí?
Cuánto	¿Cuánto + sustantivo?
	◆ ¿Cuánto tiempo vivió en Estados Unidos?

¿Hoy como ayer?

En esta unidad vas a aprender:

- A hablar del pasado: contar tus hábitos y describir personas, objetos y lugares

- A referirte a una cantidad aproximada

- A narrar un acontecimiento pasado

- A comparar el pasado con el presente

- Cómo era y cómo es la sociedad española

COMUNICACIÓN	GRAMÁTICA	VOCABULARIO	CULTURA Y SOCIOCULTURA	TEXTOS
Pedir y dar información sobre acciones habituales en el pasado	Pretérito imperfecto	Acciones habituales	España: de la dictadura a la democracia	Conversaciones cara a cara
Describir personas, lugares y objetos del pasado	Perífrasis verbales: *soler* + infinitivo	Expresiones para hablar de frecuencia	Cambios en la sociedad española	Mensajes de correo electrónico
Referirse a una cantidad aproximada	Indefinidos: *alguien*, *nadie*; *algo*, *nada*	La descripción física y de carácter		Entrevista radiofónica
Narrar un acontecimiento pasado	Oraciones consecutivas: *así que*, *por eso*	Etapas de la vida		Textos históricos
Comparar	Oraciones causales: *porque*			

1. ¿Qué hacías cuando tenías quince años?

a. ㊽ Marta y unas amigas recuerdan lo que solían hacer cuando tenían quince años. Escúchalas y señala si estas afirmaciones son verdaderas (V) o falsas (F).

	V	F
■ Todos los días hacían los deberes en casa.	☐	☐
■ Casi siempre quedaban por la tarde en el parque.	☐	☐
■ Dos veces por semana tenían clase de inglés por la tarde.	☐	☐
■ Solían ir los martes a nadar a la piscina.	☐	☐
■ A veces los sábados iban a bailar.	☐	☐
■ Casi todos los domingos iban al cine.	☐	☐

COMUNICACIÓN C

Pedir y dar información sobre acciones habituales en el pasado

◆ *¿Qué hacías cuando tenías quince años?*

◆ *Me levantaba todos los días a las siete y media.*

◆ *Solía ir los martes a nadar a la piscina.*

b. 🗨 ¿Qué hacías tú cuando tenías quince años? ¿Con qué frecuencia? Completa la ficha y compara tus resultados con los de tu compañero.

◆ *¿Estudiabas todos los días?*

◆ *Sí, estudiaba todos los días después de clase unas dos horas.*

	SIEMPRE, TODOS LOS DÍAS	CASI SIEMPRE, NORMAL-MENTE	A MENUDO	MUCHAS VECES	UNA, DOS, TRES... VECES POR SEMANA	LOS FINES DE SEMANA	A VECES, DE VEZ EN CUANDO	CASI NUNCA	NUNCA
Ver la tele									
Ir al cine									
Hacer deporte									
Estudiar									
Leer									
Bailar									
Salir con los amigos									
...									

GRAMÁTICA G

Pretérito imperfecto. Verbos regulares

	Jugar	Comer	Vivir
(yo)	jugaba	comía	vivía
(tú)	jugabas	comías	vivías
(él, ella, usted)	jugaba	comía	vivía
(nosotros/as)	jugábamos	comíamos	vivíamos
(vosotros/as)	jugabais	comíais	vivíais
(ellos/as, ustedes)	jugaban	comían	vivían

GRAMÁTICA G

Pretérito imperfecto. Verbos irregulares

	Ser	Ir	Ver
(yo)	era	iba	veía
(tú)	eras	ibas	veías
(él, ella, usted)	era	iba	veía
(nosotros/as)	éramos	íbamos	veíamos
(vosotros/as)	erais	ibais	veíais
(ellos/as, ustedes)	eran	iban	veían

2. Cuando vivía en España...

a.  Chiara le cuenta a su amigo Peter qué hacía cuando estudiaba en España con una beca Erasmus. Completa su mensaje con los verbos adecuados de la lista en pretérito imperfecto.

Mensaje ‗□✕

Archivo Edición Ver Insertar Formato Herramientas Tabla Ventana ? Escriba una pregunta ▾ ✕

Enviar | ▯ ▾ | ▯ ▯ | ▯ ! | ↓ | ▼ | ▯ | ▯ Opciones... ▾ | HTML ▾

Para... peter_s@ port.ac.uk

CC...

Asunto: Hola

▯ ▯ | ✂ ▯ ▯ | Arial ▾ | 10 ▾ | A ▾ | N K S | ▤ ▤ ▤ | ▤ ▤ ▦ ▦ | ▯

¡Hola, Peter!

¿Qué tal estás? Yo estoy muy bien, pero estudiando mucho para los exámenes finales de junio.

He recibido tu mensaje en el que me preguntabas cómo era mi vida en España. ¿Vas a solicitar una beca Erasmus para el curso que viene? Me parece una gran idea.

¿No sabes nada de Salamanca? Bueno, te voy a contar lo que yo hacía cuando ____vivía____ allí. Entre semana _____ temprano porque _____ clase todas las mañanas, de nueve a dos. Después _____ a la residencia de estudiantes. Por la tarde, después de comer, _____ pasar unas dos o tres horas estudiando en la biblioteca y después, antes de cenar, un par de días a la semana _____ algo de ejercicio: _____ a correr, al gimnasio o a la piscina... ¡Ah! Además, _____ clase de español dos días a la semana.

Los fines de semana _____ con mis amigos de la facultad o con mis amigos de la residencia, muchos _____ estudiantes Erasmus como yo. ____Íbamos____ al cine, _____ excursiones... Siempre _____ algo que hacer. Todo el mundo _____ muchas ganas de divertirse y de conocer España. Nadie _____ perder el tiempo.

La verdad es que la gente _____ muy simpática. Cuando necesitaba algo, siempre _____ alguien, un compañero o un profesor, que me ayudaba.

Además, Salamanca es una ciudad preciosa.

Bueno, ya te he contado cómo era mi vida allí. Escríbeme si tienes alguna duda.

Un fuerte abrazo, Chiara

5 elementos Esta carpeta está actualizada. Conectado ▾

SALIR
SER
IR
HABER
VIVIR
TENER
VOLVER
LEVANTARSE
SOLER
HACER
QUERER

---

b. G Selecciona el indefinido *alguien, nadie, algo* o *nada* en cada caso.

◆ *Un par de días a la semana hacía ____algo____ de ejercicio.*

◆ *Cuando necesitaba algo, siempre había _____ que me ayudaba.*

◆ *¿Quieres tomar _____?*
◆ *No, gracias, no quiero _____.*

◆ *¿Hay _____ en casa?*
◆ *¡Sí, estoy yo! Estoy en el salón.*

◆ *¿Te apetece _____ para picar: unas patatitas o unas aceitunas?*
◆ *Sí, por favor, unas aceitunas.*

◆ *Hoy en día _____ sale a la calle sin su teléfono móvil.*
◆ *Sí, es verdad.*

◆ *No hay _____ de comer en la nevera. Tenemos que ir al supermercado.*
◆ *Vale, vamos esta tarde.*

◆ *¿Quién ha apagado la luz? ¡No veo _____!*
◆ *¡Ay! Perdona he sido yo. Ahora la enciendo.*

◆ *Quería un kilo de naranjas, por favor.*
◆ *Muy bien. ¿Le pongo _____ más?*
◆ *No, gracias, no quiero _____ más.*

GRAMÁTICA G

Indefinidos: *alguien, nadie; algo, nada*

Usamos estos indefinidos para hablar de una persona (*alguien, nadie*) o cosa (*algo, nada*) sin especificar exactamente a quién o a qué nos referimos.

◆ *¿Has visto a alguien?*
◆ *No, no he visto a nadie.*
◆ *¿Has visto algo?*
◆ *No, no he visto nada.*

Cuando las formas *nadie* y *nada* van después del verbo, hay que poner *no* antes del verbo.

3. Una reunión de antiguos alumnos

a. Un grupo de antiguos alumnos ha organizado una reunión. Están viendo juntos algunas fotos de los años que pasaron juntos. Lee y relaciona cada foto con su texto.

En esta foto estamos todos. Teníamos unos tres años. ¡Éramos tan pequeños!

(a)

Aquí están Alicia y Ana. Siempre estaban juntas, parecían hermanas e incluso decían que se parecían, tenían el mismo pelo, los mismos ojos, las dos llevaban gafas...

(b)

¡Mira! Aquí está Felipe. ¡Qué hablador era! Siempre estaba hablando en clase y siempre lo castigaban, ¿os acordáis?

(c)

¡Mira! ¿Os acordáis de Alfonso? Siempre iba con su bici roja. Era muy tímido, pero muy simpático.

(d)

b. (49) Escucha las conversaciones entre los antiguos compañeros y completa la tabla.

	ENRIQUE	JUAN	ELENA	LUIS
¿Qué le gustaba?				
Por eso.../Así que...				

c.  ¿Cómo eras de pequeño o cuando eras un adolescente? ¿Qué te gustaba hacer? ¿Ha tenido alguna consecuencia en tu vida actual? Cuéntaselo a tus compañeros.

◆ *Cuando era pequeño me gustaban mucho los animales, así que estudié Veterinaria y ahora trabajo en el zoo.*

4. Una entrevista

a. [G] La directora del club de fans de un famoso cantante le hace una entrevista radiofónica para saber cómo era de pequeño. Antes de escucharla, intenta completar las preguntas.

- ¿ _Cómo eras_ físicamente?
- ¿_____ carácter?
- ¿_____ con tus amigos?
- ¿_____ la relación con tu familia?
- ¿_____ ir al colegio?
- ¿_____ en verano?
- ¿_____ en Navidad?
- ¿_____ el día de tu cumpleaños?
- ¿_____ ser de mayor?

b. [G] Ahora intenta redactar las respuestas con las palabras que te damos.

Era bastante delgado y alto y tenía el pelo rubio y rizado.	• Bastante delgado y alto • Pelo rubio y rizado
	• Extrovertido, nervioso y hablador
	• Pasar el día juntos en el colegio • Ir al parque
	• Llevarse muy bien • Hacer muchas cosas juntos
	• Ser estudioso • Sacar buenas notas
	• Ir a la playa • Montar en bici
	• Ir a casa de los abuelos • Jugar con los primos • Comer dulces • Cantar villancicos
	• Invitar a los amigos a merendar • Abrir los regalos • Soplar las velas de la tarta
	• Bombero

c. (50) Escucha la entrevista y comprueba tus respuestas.

d. En parejas, haz preguntas a tu compañero, como en la entrevista anterior, para saber cómo era y qué hacía de pequeño. Luego cuéntale al resto de la clase lo que te haya llamado la atención.

- ¿Qué querías ser de mayor?
- Bailarina.

- ¿Qué solías hacer los fines de semana?
- Solía pasar los fines de semana en casa de mis abuelos: ellos me llevaban al parque, al cine...

5. Recordar un momento especial

a. (51) Enrique habla de un acontecimiento muy importante en su vida. Escúchalo. ¿Qué está recordando?

- ☐ Su primer día de trabajo.
- ☐ Su primer día de colegio.
- ☐ El día que nació su primer hijo.
- ☐ El día que conoció a su novia.
- ☐ La primera vez que montó en bicicleta.
- ☐ Su primer viaje en barco.

COMUNICACIÓN C

Narrar un acontecimiento pasado

Utilizamos el **pretérito indefinido** *(conocí)* para referirnos a un hecho concreto que ocurrió en el pasado.

Utilizamos el **pretérito imperfecto** *(sonaba)* para describir las circunstancias en las que se produjo ese hecho.

◆ *Cuando conocí a Ana, sonaba esta canción.*

---

b. (51) Vuelve a escuchar a Enrique y responde a estas preguntas.

- ¿Dónde estaba Enrique?

  _____

- ¿Cómo la conoció?

  _____

- ¿Qué ropa llevaba ella?

  _____

c. G Lee las siguientes oraciones y colócalas en el lugar correspondiente de la tabla.

- Le di un beso.
- Estaba lloviendo.
- Nos subimos juntos en el ascensor.
- Estaba en una fiesta.
- Me lo presentó mi jefe.
- Hacía mucho frío.

- Me monté en el caballo.
- Iba de viaje con mis padres.
- Eran las doce de la noche.
- La vi por primera vez.
- Era muy tarde.
- Le pedí un bolígrafo.

HECHOS	CIRCUNSTANCIAS

d. Imagina y escribe cómo se conoció esta pareja. Utiliza al menos dos de las oraciones de la actividad c.

6. Antes y ahora

a. 📖 Después de la reunión de antiguos alumnos, Elena le cuenta sus impresiones a su amiga Susana. Lee su mensaje y completa la tabla.

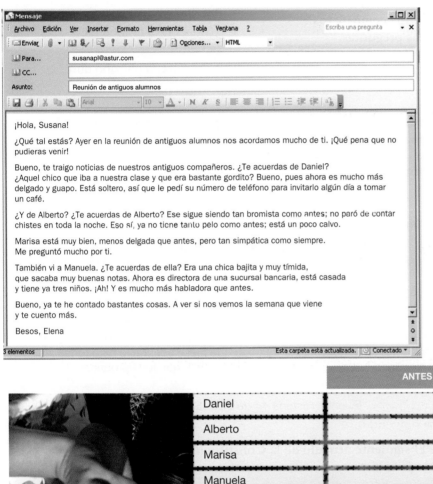

```
Mensaje                                                          _ □ ×
Archivo  Edición  Ver  Insertar  Formato  Herramientas  Tabla  Ventana  ?     Escriba una pregunta  ▼ ×
📧 Enviar  ▮ ▼  🔲 📎  🔁 ! ↓ ▼  🔲  Opciones...  ▼  HTML          ▼
📧 Para...       susanapl@astur.com
📧 CC...
Asunto:         Reunión de antiguos alumnos

💾 🖨 ✂ 📋 📋  Arial          ▼ 10 ▼  A ▼  N  K  S  ≡ ≡ ≡ ≡  ⋮≡ ⋮≡ ⋮≡ ⋮≡  🌐 ▼

¡Hola, Susana!

¿Qué tal estás? Ayer en la reunión de antiguos alumnos nos acordamos mucho de ti. ¡Qué pena que no
pudieras venir!

Bueno, te traigo noticias de nuestros antiguos compañeros. ¿Te acuerdas de Daniel?
¿Aquel chico que iba a nuestra clase y que era bastante gordito? Bueno, pues ahora es mucho más
delgado y guapo. Está soltero, así que le pedí su número de teléfono para invitarlo algún día a tomar
un café.

¿Y de Alberto? ¿Te acuerdas de Alberto? Ese sigue siendo tan bromista como antes; no paró de contar
chistes en toda la noche. Eso sí, ya no tiene tanto pelo como antes; está un poco calvo.

Marisa está muy bien, menos delgada que antes, pero tan simpática como siempre.
Me preguntó mucho por ti.

También vi a Manuela. ¿Te acuerdas de ella? Era una chica bajita y muy tímida,
que sacaba muy buenas notas. Ahora es directora de una sucursal bancaria, está casada
y tiene ya tres niños. ¡Ah! Y es mucho más habladora que antes.

Bueno, ya te he contado bastantes cosas. A ver si nos vemos la semana que viene
y te cuento más.

Besos, Elena

3 elementos                          Esta carpeta está actualizada.  🔲 Conectado ▼
```

	ANTES	AHORA
Daniel		
Alberto		
Marisa		
Manuela		

b. 🔲 Piensa en una persona que conoces muy bien (tu madre, tu padre, tu abuelo, tu pareja, tu hermana, tu mejor amigo...) y en qué ha cambiado desde que la conoces. Cuéntaselo a tus compañeros. Ellos deben adivinar de quién estás hablando.

◆ *Antes le gustaba mucho jugar al tenis, pero ahora ya no juega.*

- Su físico
- Su carácter
- Sus aficiones
- Sus gustos
- Sus opiniones
- ...

7. España: de la dictadura a la democracia

a. [Cs] Antes de la actual democracia hubo una dictadura en España. ¿Qué sabes de ella? Coméntalo con tus compañeros y contestad a las preguntas.

- ¿Qué ocurrió antes de instaurarse la dictadura?
- ¿En qué año comenzó?
- ¿Conocéis el nombre del dictador?
- ¿Sabéis hasta qué año duró?

b. [Cs] Ahora, lee el siguiente texto para comprender lo que sucedió en España tras la dictadura. Coloca las palabras que faltan en su lugar correspondiente.

CONSTITUCIÓN   REY   REFERÉNDUM   ELECCIONES   DEMOCRÁTICO

España: del franquismo a la democracia

Franco murió el 20 de noviembre de 1975. Según lo previsto en la Ley de Sucesión, asumió la jefatura del Estado Juan Carlos I. Desde el momento de su subida al trono, el _____ mostró su voluntad de instaurar un sistema democrático en España. El 15 de junio de 1977 se celebraron en España las primeras _____ libres desde el comienzo de la Guerra Civil. Su objetivo era elegir un Parlamento _____ que representase a todos los sectores de la sociedad, con el fin de elaborar una nueva constitución. Las Cortes eligieron un grupo de ponentes que intentaron consensuar un texto que fuese aceptable para todas las ideologías. El resultado fue la _____ de 1978, que fue aprobada posteriormente en _____.

(Fuente: *Historia 4.° de ESO*, Santillana Educación, S. L., 2003)

c. [Cs] Lee el siguiente artículo de la Constitución española de 1978 y responde a la pregunta.

- ¿Qué régimen político establece esta Constitución?

La Constitución de 1978

Artículo 1

1. España se constituye en un Estado social y democrático de Derecho, que propugna como valores superiores de su ordenamiento jurídico la libertad, la justicia, la igualdad y el pluralismo político.

2. La soberanía nacional reside en el pueblo español, del que emanan los poderes del Estado.

3. La forma política del Estado español es la Monarquía parlamentaria. (…)

(Fuente: http://www.constitucion.es)

d. [Cs] ¿Existe un texto similar en tu país? ¿Qué sistema político establece? Coméntalo con tus compañeros.

PINCELADAS

- En la Monarquía parlamentaria española el rey es el jefe del Estado y su máximo representante, pero no toma decisiones de carácter político. La soberanía reside en el pueblo, que elige a sus representantes mediante sufragio universal, en el que participan libremente todos los ciudadanos mayores de edad, es decir, los mayores de 18 años.

8. Cambios en la sociedad española

a. 📖 Cs La vida ha cambiado mucho en las últimas décadas en España.
Observa las fotografías y completa las oraciones en presente o en pretérito
imperfecto según creas que se refieren al presente o al pasado.

- La mayoría de las mujeres (ser) _____ amas de casa, (dedicarse) _____ a las tareas del hogar y al cuidado de los hijos.
- Más del 40% de las mujeres (trabajar) _____ fuera de casa.
- Una gran parte de la población (trabajar) _____ en la agricultura.
- Más del 60% de la población ocupada (trabajar) _____ en el sector terciario: el comercio, el turismo y los servicios públicos.
- Más de cinco millones de hogares españoles (tener) _____ acceso a Internet.
- Más del 90% de los jóvenes españoles (tener) _____ un teléfono móvil.
- Las familias (ser) _____ muy numerosas.
- Las parejas españolas (tener) _____ un promedio de uno o dos hijos.
- Todos los niños entre 6 y 16 años (estar) _____ escolarizados de forma obligatoria y gratuita.
- Muchos españoles (emigrar) _____ a países como Alemania, Suiza, Francia o, incluso, Australia para trabajar.
- Más de cuatro millones de extranjeros, procedentes de países como Marruecos, Ecuador, Rumanía, Colombia, Inglaterra, etc., (vivir) _____ en España.

b. 🔊 Cs **Compara tus respuestas con las de tus compañeros. ¿Os sorprende algún dato? Comentadlo.**

c. 🔊 Cs **¿Qué cambios se han producido en tu país en los últimos treinta años? Coméntalo con tus compañeros.**

PINCELADAS

- Este tipo de cambios sociales se están produciendo igualmente en las sociedades hispanoamericanas. Así, por ejemplo, en México más del 75% de los jóvenes entre 13 y 15 años está escolarizado; el promedio de hijos ha descendido de 3,1 en 1970 a 2,6 en el 2000; hay más de quince millones de mujeres trabajadoras; crece el número de hogares con conexión a Internet (un 9% en el año 2005), etc.

(Fuente: http://www.inegi.gob.mx)

COMUNICACIÓN

Pedir y dar información sobre acciones habituales en el pasado

◆ *¿Qué hacías cuando tenías quince años?*

◆ *Me levantaba todos los días a las siete y media.*

◆ *Solía ir los martes a nadar a la piscina.*

Describir personas, lugares y objetos del pasado

◆ *Tenía el pelo largo y llevaba gafas.*

Referirse a una cantidad aproximada

◆ *Hace **unos** nueve años que no nos vemos.*

Narrar un acontecimiento pasado

Utilizamos el **pretérito indefinido** *(conocí)* para referirnos a un hecho concreto que ocurrió en el pasado.

Utilizamos el **pretérito imperfecto** *(sonaba)* para describir las circunstancias en las que se produjo ese hecho.

◆ *Cuando conocí a Ana, sonaba esta canción.*

Comparar

Más + adjetivo/adverbio/sustantivo (+ ***que***)

◆ *Antes era más delgado que ahora.*

Tan + adjetivo/adverbio (+ ***como***)

◆ *Sigue siendo tan bromista como antes.*

Tanto/a/os/as + sustantivo (+ ***como***)

◆ *Ya no tiene tanto pelo como antes.*

Menos + adjetivo/adverbio/sustantivo (+ ***que***)

◆ *Antes era menos habladora que ahora.*

Fíjate: ~~más bueno~~ o ~~más bien~~ → ***mejor***.

◆ *Ahora soy mejor persona.*

Fíjate: ~~más malo~~ o ~~más mal~~ → ***peor***.

◆ *Antes me portaba peor que ahora.*

VOCABULARIO

Acciones habituales

Comer, cenar, salir con los amigos, estudiar, hacer deporte…

Expresiones para hablar de frecuencia

Siempre, todos los días, casi siempre, normalmente, a menudo…

La descripción física y de carácter

Alto, bajo, calvo…; tímido, hablador, bromista…

Etapas de la vida

De pequeño, de mayor, cuando tenía quince años…

GRAMÁTICA

Pretérito imperfecto. Verbos regulares

	Jugar	Comer	Vivir
(yo)	jugaba	comía	vivía
(tú)	jugabas	comías	vivías
(él, ella, usted)	jugaba	comía	vivía
(nosotros/as)	jugábamos	comíamos	vivíamos
(vosotros/as)	jugabais	comíais	vivíais
(ellos/as, ustedes)	jugaban	comían	vivían

Pretérito imperfecto. Verbos irregulares

	Ser	Ir	Ver
(yo)	era	iba	veía
(tú)	eras	ibas	veías
(él, ella, usted)	era	iba	veía
(nosotros/as)	éramos	íbamos	veíamos
(vosotros/as)	erais	ibais	veíais
(ellos/as, ustedes)	eran	iban	veían

Perífrasis verbales

Soler + infinitivo

◆ *Solía ir los martes a nadar a la piscina.*

Indefinidos: *alguien, nadie; algo, nada*

Usamos estos indefinidos para hablar de una persona *(alguien, nadie)* o cosa *(algo, nada)* sin especificar exactamente a quién o a qué nos referimos.

◆ *¿Has visto a alguien?*

◆ *No, no he visto a nadie.*

◆ *¿Has visto algo?*

◆ *No, no he visto nada.*

Cuando las formas *nadie* y *nada* van después del verbo, hay que poner *no* antes del verbo.

Oraciones consecutivas

◆ *Me gustaba viajar, **así que** me hice reportero.*

◆ *Me gustaba mucho hacer deporte, **por eso** estudié Educación física.*

Oraciones causales

◆ *Estudié Educación física **porque** me gustaba mucho el deporte.*

El mundo del trabajo

En esta unidad vas a aprender:

- A entender las ofertas de trabajo
- A completar formularios relacionados con el mundo laboral
- A evaluar tus competencias en español y a elaborar tu Pasaporte de lenguas
- A elaborar tu currículum vítae
- A dar y recibir consejos para realizar una entrevista de trabajo
- A comprender una entrevista de trabajo

COMUNICACIÓN	GRAMÁTICA	VOCABULARIO	CULTURA Y SOCIOCULTURA	TEXTOS
Aconsejar	*Lo mejor es* + sustantivo/infinitivo	Anuncios de trabajo	Prestigiosos profesionales españoles e hispanoamericanos	Conversaciones cara a cara
Pedir y dar información sobre experiencias y actividades relacionadas con la formación y el trabajo	Perífrasis verbales: *tener que* + infinitivo, *deber* + infinitivo, *hay que* + infinitivo	Lugares de trabajo	El mercado laboral	El Pasaporte de lenguas
Expresar esperanza	Posición, combinación y orden de los pronombres personales átonos	Educación y formación		El currículum vítae
	La formación de los adverbios terminados en *-mente*			Programa radiofónico
	Los pronombres personales *usted* y *ustedes*			La entrevista de trabajo
	Uso de los pasados (pretérito perfecto, pretérito indefinido y pretérito imperfecto)			

1. Ofertas de trabajo

a. Todos tenemos que pasar por la experiencia de buscar trabajo. ¿Qué método te parece más efectivo para encontrar un empleo? Coméntalo con tus compañeros.

- Buscar anuncios de ofertas de trabajo en la prensa o en Internet.
- Enviar el currículum vítae a las empresas que te interesan.
- Decir a los antiguos compañeros de trabajo y amigos que estás buscando trabajo.
- Poner un anuncio de demanda de empleo en la prensa o en Internet.
- ...

b. Lee esta oferta de trabajo, ¿para qué puesto están buscando personal?

COMERCIAL

SECRETARIO/A DE DIRECCIÓN

ABOGADO/A

CONTABLE

Importante empresa inmobiliaria necesita:

Se requiere:
– Experiencia mínima de 3 años en gestión de agendas, organización de viajes, reuniones y eventos, realización de informes, traducción de documentación, contacto con personalidades y todas las tareas derivadas del puesto.
– Alto grado de discreción y responsabilidad.
– Persona muy activa, dinámica y capaz de trabajar de forma autónoma e independiente.
– Nivel muy alto de inglés y francés.

Se ofrece:
– Contrato indefinido.
– Jornada completa.
– Horario laboral: L-V, 9-14/16-19.
– Ingresos: 22 000 euros brutos anuales.
– Formación a cargo de la empresa.

Interesados, enviar C. V. con fotografía reciente al fax 91 323 45 68 o a la dirección de correo electrónico: recursoshumanos@inmo.es.

ESTRATEGIAS E

Reconocer la forma de un texto nos ayuda a localizar la información importante.

c. Vuelve a leer la oferta de trabajo y contesta a las preguntas.

- ¿Sabes el nombre de la empresa?
- ¿Sabes a qué sector se dedica? ¿Dónde aparece? Señálalo en el anuncio.
- ¿En qué parte del anuncio se especifican las características de la persona que buscan? Señálalo en el anuncio.
- ¿Informa del sueldo? ¿Dónde? Señálalo en el anuncio.
- ¿Especifica cómo ponernos en contacto con la empresa? ¿Dónde? Señálalo en el anuncio.

VOCABULARIO
Lugares de trabajo

empresa	tienda
hospital	banco
fábrica	bufete
oficina	estudio

V

d. V Marca con una R o con una O según estas afirmaciones se refieran a lo que la empresa requiere u ofrece.

- ☐ Premios especiales e incentivos.
- ☐ Formación a cargo de la empresa.
- ☐ Disponibilidad para viajar.
- ☐ Experiencia mínima demostrable de 5 años.
- ☐ Habituado a trabajar en equipo.
- ☐ Imprescindible formación en derecho urbanístico.
- ☐ Buena presencia.
- ☐ Licenciado en Farmacia.

- ☐ Contrato temporal (6 meses).
- ☐ Vehículo propio.
- ☐ Conocimientos de ofimática (Windows, Word, Excel).
- ☐ Posibilidades de promoción a corto plazo.
- ☐ Incorporación inmediata.
- ☐ Persona organizada, resolutiva, dinámica y responsable.
- ☐ Incorporación en sólida empresa.
- ☐ Inglés fluido hablado y escrito.

2. La situación laboral

a. 📖 **Lee el siguiente artículo. ¿Qué crees que quiere reflejar el autor? Selecciona una opción.**

- El problema de las personas mayores de 50 años que se quedan en paro.
- El problema de los jóvenes licenciados para encontrar empleo.
- El problema que tienen las librerías para encontrar personal cualificado.

La mochila y el currículum

POR ARTURO PÉREZ REVERTE

Llueve a ratos, y Madrid está frío y desapacible. Pasan paraguas al otro lado del escaparate de la librería de mi amigo Antonio Méndez, el librero de la calle Mayor.

Estamos allí de charla, fumando un pitillo rodeados de libros mientras Alberto, el empleado flaco, alto y tranquilo, que no ha leído una novela mía en su vida, ni piensa hacerlo –«ni falta que hace», suele gruñirme– ordena las últimas novedades.

En esas entra un chico joven con una mochila a la espalda, y se queda un poco aparte, el aire tímido, esperando a que Antonio y yo hagamos una pausa en la conversación.

Al fin, en voz muy baja, le pregunta a Antonio si puede dejarle un currículum. Claro, responde el librero. Déjamelo.

Y entonces el chico saca de la mochila un mazo de folios, cada uno con su foto de carné grapada, y le entrega uno. Muchas gracias, murmura, con la misma timidez de antes. Si alguna vez tiene trabajo para mí…, empieza a decir.

Luego se calla. Sonríe un poco, lo mete todo de nuevo en la mochila y sale a la calle, bajo la lluvia. Antonio me mira, grave.

Vienen por docenas, dice. Chicos y chicas jóvenes. Cada uno con su currículum. Y no puedes imaginarte de qué nivel. Licenciados en esto y aquello, cursos en el extranjero, idiomas. Y ya ves.

Le cojo el folio de la mano: Fulano de tal, nacido en 1976. Licenciado en Historia, cursos de esto y lo otro en París y en Italia. Tres idiomas. Lugares, empresas, fechas. (…)

(Fuente: *El Semanal*, Taller de editores, número 798)

b. 🅖 **Fíjate en cómo están colocados los pronombres personales átonos en estas oraciones del texto y completa el cuadro de gramática.**

- «Al fin, en voz muy baja, **le pregunta** a Antonio si **puede dejarle** un currículum.»
- «**Déjamelo.**»
- «Sonríe un poco, **lo mete** todo de nuevo en la mochila y sale a la calle, bajo la lluvia.»
- «**Le cojo** el folio de la mano: Fulano de tal, nacido en 1976.»

GRAMÁTICA 🅖
Posición, combinación y orden de los pronombres personales átonos

Los pronombres personales átonos (*me, te, le, se, nos, os, les; lo, la, los, las*) pueden ir antes o después del verbo al que acompañan:

- Con las formas de indicativo van _____ del verbo, como palabras independientes.
- Con las formas de imperativo afirmativo van _____ del verbo, unidos con él en una sola palabra.
- En las perífrasis verbales pueden ir antes del verbo conjugado, como palabras independientes, o después del infinitivo o gerundio, unidos con él en una sola palabra.

Cuando los pronombres de objeto indirecto *le, les* se combinan con los pronombres de objeto directo (*lo, la, los, las*) se convierten en *se*:
~~Le lo~~ dije → *Se lo* dije.

Cuando utilizamos dos pronombres átonos, _____ va el de objeto indirecto (*me, te, se, nos, os*) y a continuación el de objeto directo (*lo, la, los, las*).

c. 🅖 **Ordena los elementos destacados de estas oraciones. En algún caso hay varias soluciones posibles.**

- ¿Has visto a Rocío?
- No, no **he/visto/la**.   ◆ _____

- ¿Le has dicho a Juan que mañana lo llamo?
- No, **lo/decir/a/se/voy** esta tarde.   ◆ _____

- ¿Me dejas un bolígrafo, por favor?
- Sí, claro. **lo/coge**.   ◆ _____

- ¿Puedo abrir la ventana?
- Sí, claro. **abre/la, abre/la**.   ◆ _____

3. En la oficina de selección de personal

a. ⑤② Lee este cuestionario. Después, escucha una conversación entre una persona que trabaja en una oficina de selección de personal y un chico que busca trabajo, y marca sus respuestas.

Nombre y apellidos: _____

Nivel de estudios y especialidad:
- ☐ Sin título
- ☐ Certificado escolar
- ☐ Educación Secundaria Obligatoria
- ☐ Bachillerato
- ☐ Formación profesional
- ☐ Diplomado
- ☐ Ingeniero (técnico/superior)
- ☐ Licenciado
- ☐ Estudios de posgrado (doctorado o máster)
- ☐ Otros

¿Cuál es su experiencia laboral?
- ☐ Sin experiencia
- ☐ Solo en prácticas o como becario
- ☐ 1 año

- ☐ 2 años
- ☐ De 3 a 5 años
- ☐ Más de 5 años

¿Cómo encontró su último trabajo?
- ☐ Por un anuncio en prensa
- ☐ Por un buscador de ofertas de empleo en Internet
- ☐ En la Oficina de Empleo
- ☐ En una empresa de selección de personal
- ☐ Por un conocido o amigo
- ☐ Envié espontáneamente mi currículum a la empresa
- ☐ Otros

¿Situación laboral en estos momentos?
- ☐ Estoy en paro
- ☐ Estudiante
- ☐ En activo
- ☐ En prácticas o becario
- ☐ Otros

b. 📖 Ahora completa el formulario con tus propios datos.

4. El Pasaporte de lenguas

a. 🗨 ¿Sabes qué es el Pasaporte de lenguas elaborado por el Consejo de Europa? Coméntalo con tus compañeros.

b. 📖 Coloca los datos que faltan en el Pasaporte de Lisa en su lugar adecuado.

CERTIFICADO DE USUARIO BÁSICO DE ESPAÑOL	INGLÉS	A2	VACACIONES FRECUENTES EN ESPAÑA

Apellido(s) nombre(s): Shaw, Lisa

Fecha de nacimiento: 18/05/1985

Idioma(s) materno(s): _____

Otro(s) idioma(s): Español

Autoevaluación de la capacidad lingüística

Comprender				Hablar				Escribir
Comprensión auditiva		Comprensión de lectura		Interacción oral		Expresión oral		Expresión escrita
A2	Usuario básico	A2	Usuario básico	A1	Usuario básico	A1	Usuario básico	Usuario básico

Título(s) o certificado(s)

Denominación del / de los título(s) o certificado(s)	Centro emisor	Fecha	Nivel europeo
	Cursos Internacionales Universidad de Salamanca	2006	A2

Experiencia(s) lingüística(s) en el idioma

Descripción	Desde	Hasta
	1995	2006

c. 🗨 E ¿Qué experiencias lingüísticas en español podrías incluir en tu Pasaporte? Coméntalo con tus compañeros.

5. El currículum vítae

a. En parejas, fijaos en el currículum de Sofía e intentad completar los títulos de los epígrafes.

Información per_____

Apellido(s) y nombre
Dirección
Teléfono
Dirección de correo
electrónico
Nacionalidad
Fecha de nacimiento

Martínez García, Sofía
c/ Paz, 8, 1.° A. 28020 Madrid
91 343 33 44
sofia_mg@yahoo.es

Española
5 de febrero de 1974

Experiencia la_____

Fecha
Tipo de empresa
Principales actividades

De enero 1998 a marzo 2005
Entidad bancaria
Atención al cliente

Educación y for_____

Fecha
Título

Centro que ha
impartido la enseñanza

Fecha
Título

Centro que ha
impartido la enseñanza

De 1997 a 1998
Máster en Dirección
de Empresas
Escuela Europea de
Contabilidad (Madrid)

De 1991 a 1996
Licenciado en Ciencias
Económicas y Empresariales
Universidad Complutense
(Madrid)

Capac_____
y aptitudes personales

Lengua materna

Otros idiomas

Español

	Inglés	Italiano
Comprender	B2	C1
Hablar	B1	B2
Escribir	B1	B2

Capacidades y competencias
so_____

Capacidad de comunicación,
trabajo en equipo y
concentración.

Capacidades y competencias
organ_____

Buenas dotes de organización.

Capacidades y competencias
infor_____

Buen manejo de ordenadores,
tanto en aplicaciones contables,
como bases de datos,
tratamiento de textos, Internet
y correo electrónico.

Per_____
de conducir

B1

Información adicional

Referencias: Dra. Ana Gutiérrez
Catedrática de la Universidad
Complutense
(ana_gu@ucm.es)

ESTRATEGIAS E

Ya sabes que una buena
presentación del currículum es tan
importante como su contenido.
Por eso, cuando redactes el tuyo
fíjate bien en la ortografía: en el
uso de las minúsculas y las
mayúsculas, los signos de
puntuación, las tildes, etc.

b. ¿Sueles incluir estos mismos apartados en tu currículum? ¿Añades alguna otra información? Coméntalo con tus compañeros.

6. Consejos para una entrevista de trabajo

a.  **Marca los consejos que tú le darías a un amigo para superar con éxito una entrevista de trabajo. Compáralos con los de tu compañero.**

- ☐ Debes hablar bien sobre tus anteriores trabajos y empresas en las que has estado.
- ☐ Tienes que estar tranquilo.
- ☐ Habla de tus virtudes.
- ☐ Sé puntual.
- ☐ Tienes que vestir de manera sencilla y elegante.
- ☐ Cuenta algún chiste para relajar el ambiente.
- ☐ Apaga tu teléfono móvil antes de la entrevista.

COMUNICACIÓN C

Aconsejar

Consejos personales

- ◆ **Tienes que** *estar tranquilo.*
- ◆ **Debes** *decir siempre la verdad.*
- ◆ **Apaga** *tu teléfono móvil.*

Consejos impersonales

- ◆ **Hay que** *cuidar la apariencia.*
- ◆ **Lo mejor es** *saludar al entrevistador con un apretón de manos.*

┌─────────────────┐
│ **ANTES** │
│ **DE LA ENTREVISTA** │
└─────────────────┘

┌─────────────────┐
│ **DURANTE** │
│ **LA ENTREVISTA** │
└─────────────────┘

┌─────────────────┐
│ **DESPUÉS** │
│ **DE LA ENTREVISTA** │
└─────────────────┘

b. 📖 **Vas a escuchar a un experto dar una serie de consejos para realizar una entrevista de trabajo. Antes de escucharlo, relaciona cada consejo con el momento de su aplicación: antes, durante o después de la entrevista.**

- Hay que informarse y conocer la empresa.
- Hay que repasar el currículum.
- Hay que mirar al entrevistador a los ojos.
- Hay que cuidar la apariencia (evitar la ropa llamativa; ir bien vestido y arreglado).
- Hay que sentarse derecho en la silla.
- Lo mejor es enviar un mensaje de correo electrónico para agradecer la entrevista.
- Hay que ser puntual, lo ideal es llegar 5 minutos antes.
- Hay que saludar con un apretón de manos y sonreír.
- Lo mejor es saludar al entrevistador con una fórmula convencional: «Buenas tardes, señora Ruiz».
- Lo más adecuado es tratar de *usted* al entrevistador.

c. ㊾ **Ahora escucha los consejos del experto y comprueba tus hipótesis.**

d. C **¿Que dices o haces en estas situaciones? Marca tus respuestas y compáralas con las de tus compañeros.**

1. En la entrevista te preguntan por tus ideas religiosas, ¿qué haces?
   a) Me levanto rápidamente y me voy.
   b) Le digo amablemente que ese es un tema personal y no contesto.
   c) Contesto sin problemas.

2. Te preguntan que si crees que te van a dar el trabajo, ¿qué dices?
   a) «Espero que sí.»
   b) «Espero que no.»
   c) «No lo sé, no depende de mí.»

3. Te dicen que ese trabajo no es para ti, ¿qué haces?
   a) Te despides y te vas tranquilamente.
   b) Te levantas lentamente y te vas sin decir nada.
   c) Te levantas bruscamente y al salir cierras la puerta de golpe.

GRAMÁTICA G

La formación de los adverbios terminados en -*mente*

Para formar adverbios a partir de adjetivos añadimos la terminación -*mente* a la forma femenina del adjetivo: *lento* → *lenta* + -*mente* = *lentamente.*

7. En la entrevista de trabajo

a. Lee estas respuestas y relaciona cada una con su pregunta correspondiente.

◆ *Pues soy una persona exigente con mi trabajo, soy muy sociable y me encanta trabajar en equipo. También soy bastante ordenada.*

◆ *Lo mejor es la relación con los compañeros, tener un buen ambiente de trabajo, y lo peor es no tener mucho tiempo para la vida privada.*

◆ *Yo era una niña feliz. Vivía en Alicante e iba mucho a la playa. Me encantaba jugar con los niños de mi clase. Iba a clases de piano y hacía mucho deporte.*

◆ *Sí, soy licenciada en Ciencias de la Información. Siempre me ha interesado mucho la actualidad y dar mi punto de vista.*

◆ *Mis objetivos a corto plazo son integrarme en un buen equipo de trabajo, rodeada de buenos profesionales, aprender y aportar mis conocimientos.*

◆ *Pues sí, me gustaría saber qué espera de mí la empresa.*

◆ *Espero que sí. A mí me encanta este trabajo y me interesa mucho trabajar en su periódico.*

PREGUNTAS HABITUALES EN UNA ENTREVISTA DE TRABAJO

La empresa

◆ ¿Cómo nos conoció?

◆ ¿Qué sabe de nosotros?

◆ ¿Está usted estudiando otras ofertas de trabajo?

◆ ¿No prefiere usted trabajar en una empresa más familiar?

◆ En su opinión, ¿qué es lo mejor y lo peor de un trabajo?

◆ ¿Cree que le vamos a dar el trabajo?

Hábleme de usted...

◆ ¿Qué no le gusta de su forma de ser?

◆ ¿Cuáles son sus puntos fuertes, sus virtudes?

◆ ¿Sabe hablar en público? ¿Ha tenido que hacerlo alguna vez?

◆ ¿Tiene usted estudios universitarios? ¿Cuáles? ¿Por qué los eligió?

◆ ¿Qué le gusta hacer en su tiempo libre?

◆ Hábleme de usted cuando era niña.

La carrera profesional

◆ ¿Por qué eligió esta profesión?

◆ ¿Trabajaba mientras completaba sus estudios? ¿En qué?

◆ ¿Ha asistido usted a clases durante los últimos tres años? ¿De qué? ¿Por qué?

◆ ¿Cuáles son sus objetivos profesionales a corto plazo?

Los puestos de trabajo anteriores

◆ ¿Cuáles eran sus funciones en trabajos anteriores?

◆ De todos ellos, ¿cuál le gustó más?

◆ ¿Cree que han cambiado sus intereses profesionales en los últimos años? Si la respuesta es afirmativa, ¿por qué?

GRAMÁTICA

Los pronombres personales *usted* y *ustedes*

Los pronombres personales *usted* y *ustedes* aparecen muchas veces como recurso para marcar explícitamente el tratamiento: ◆ *¿Está **usted** estudiando otras ofertas de trabajo?/¿Está estudiando otras ofertas de trabajo?*

Uso de los pasados (pretérito perfecto, pretérito indefinido y pretérito imperfecto)

Cuando hablamos de experiencias pasadas alternamos el uso de los diferentes pasados, según el momento al que nos referimos:

◆ *¿Ha asistido a algún curso últimamente?*

◆ *¿Por qué eligió esta profesión?*

◆ *Hábleme de usted cuando era niña.*

b. 54 Escucha la entrevista de trabajo y comprueba tus hipótesis.

c. ¿Te han hecho estas u otras preguntas en alguna entrevista de trabajo? Coméntalo con tus compañeros y apunta las preguntas que no están en la lista.

▪ *¿Por qué dejó su último trabajo?*

▪ _____

▪ _____

8. Prestigiosos profesionales españoles e hispanoamericanos

a. [Cs] ¿Conoces los Premios Príncipe de Asturias? ¿Conoces a algún galardonado? ¿Dónde se celebran? Coméntalo con tus compañeros.

b. Lee la trayectoria de estos galardonados. ¿Qué premio crees que recibió cada uno?

| LETRAS 2000 | ARTES 1999 | INVESTIGACIÓN CIENTÍFICA Y TÉCNICA 2004 | CONCORDIA 1998 |

Augusto Monterroso, escritor guatemalteco nacido en Tegucigalpa (Honduras) en 1921, está considerado uno de los grandes y originales escritores hispanoamericanos de cuentos y narraciones breves de este siglo. Fue profesor de Literatura de la Facultad de Filosofía y Letras de la Universidad Nacional Autónoma de México (UNAM), país donde residió desde 1944, autoexiliado por motivos políticos, hasta abril de 1996 y donde murió el 8 de febrero de 2003. Entre sus libros de cuentos más destacados (los más hermosos del mundo, según Italo Calvino) se encuentran *Uno de cada tres y el centenario, La oveja negra y demás fábulas, Animales y hombres, Movimiento perpetuo* o *Viaje al centro de la fábula*, algunos de ellos traducidos a varios idiomas, así como la novela *Lo demás es silencio*. De entre sus obras también cabe destacar *La vaca*, calificada por él mismo como una colección de «ensayos que parecen cuentos y cuentos que parecen ensayos», y *Pájaros de Hispanoamérica*. Se le considera el autor del cuento más corto de la historia de la Literatura, que dice así: «El dinosaurio: Cuando despertó, el dinosaurio todavía estaba allí».

© 2006, Fundación Príncipe de Asturias.

Nacido en 1951 en Benimamet (Valencia), **Santiago Calatrava Valls** cursó estudios en Bellas Artes. En 1974 se licenció en Arquitectura y en 1979 obtuvo la licenciatura de Ingeniería Civil. Ha realizado obras de gran envergadura entre las que destacan puentes, estaciones, aeropuertos y complejos expositivos. Es autor de obras tan conocidas como el Puente del Alamillo en Sevilla, la Torre de Telecomunicaciones de Montjuic en Barcelona y la estación de Alta Velocidad de Lyon-Satolas en Francia. En 1993, el prestigioso Museo de Arte Moderno de Nueva York (MOMA) dedicó una gran exposición monográfica a su obra, como también se ha hecho en otras numerosas ciudades de varios países. Recientemente ha inaugurado en Valencia un espectacular cine planetario, L´Hemisferic, primer edificio de la Ciudad de las Artes y las Ciencias, y la estación de Oriente en Lisboa. Tiene diversos proyectos en curso como la Nueva Terminal del Aeropuerto de Bilbao o la Estación de Lieja, que será el enlace para las líneas de alta velocidad del centro de Europa.

© 2006, Fundación Príncipe de Asturias.

c. [Cs] ¿Se conceden en tu país algunos premios similares a los Príncipe de Asturias? Coméntalo con tus compañeros.

PINCELADAS

■ Desde 1981, la Fundación Príncipe de Asturias convoca anualmente los Premios Príncipe de Asturias, que son entregados por el Príncipe de Asturias, Presidente de Honor de esta institución, en un solemne acto académico que se celebra en Oviedo, capital del Principado de Asturias (España). Los premios están destinados a galardonar la labor científica, técnica, cultural, social y humana realizada por personas, equipos de trabajo o instituciones en el ámbito internacional, en las siguientes ocho categorías: Comunicación y Humanidades, Ciencias Sociales, Artes, Letras, Investigación Científica y Técnica, Cooperación Internacional, Concordia y Deportes.

9. El mercado laboral

a. 📖 Cs Responde a las siguientes preguntas y compara los resultados con tus compañeros.

¿En cuál de las siguientes situaciones se encuentra actualmente la mayoría de gente de entre 23 y 65 años en tu país?

☐ Trabaja

☐ Jubilado/pensionista (ha trabajado)

☐ Pensionista (no ha trabajado)

☐ Parado y ha trabajado antes

☐ Parado y busca su primer empleo

☐ Estudiante

☐ Trabajo doméstico no remunerado

☐ Otra situación

¿Cuál es la jornada habitual de trabajo en tu país?

☐ Jornada partida (mañana y tarde)

☐ Jornada continua (fijo mañana)

☐ Jornada continua (fijo tarde)

☐ Jornada continua (fijo noche)

☐ Horario de equipos rotativos (turnos de mañana/tarde)

☐ Horario de equipos rotativos (turnos de mañana/tarde/noche)

☐ Horario de equipos rotativos (turnos de otro tipo)

☐ Otros

¿Y cómo suele ser el horario?

☐ Rígido (horario fijo de entrada y salida del trabajo)

☐ Flexible (con posibilidad de adaptar o elegir las horas)

Por término medio, ¿cuántas horas se trabaja a la semana?

☐ Menos de 20 horas

☐ 20h-29h

☐ 30h-39h

☐ 40h-49h

☐ 50h-59h

☐ 60 o más horas

Habitualmente, ¿se suele prolongar la jornada laboral con o sin compensación económica y/o compensación en tiempo libre?

☐ Sí, con compensación económica y/o en tiempo libre

☐ Sí, sin compensación económica y/o en tiempo libre

☐ No, no se suele prolongar la jornada laboral

¿Tienen los trabajadores dificultades habitualmente, a veces o nunca para compaginar el trabajo con el cuidado de sus hijos?

☐ Habitualmente

☐ A veces

☐ Nunca

¿La mayoría de los contratos de trabajo son indefinidos o temporales?

☐ Indefinidos

☐ Temporales

¿La mayoría de los contratos de trabajo son a tiempo completo o a tiempo parcial?

☐ A tiempo completo

☐ A tiempo parcial

¿Y cuál es la ocupación u oficio mayoritario en tu país?

☐ Profesionales, técnicos y similares

☐ Miembros del Gobierno y altos directivos de la Administración Pública o de la empresa privada

☐ Propietarios y gerentes de hostelería, comercio y agricultura

☐ Personal administrativo y similar

☐ Comerciantes, vendedores y similares

☐ Personal de los servicios

☐ Trabajadores cualificados y semicualificados

☐ Trabajadores agrícolas y no cualificados no agrícolas

☐ Profesionales de las Fuerzas Armadas

☐ Otros

PINCELADAS

■ Según un estudio realizado por el Centro de Investigaciones Sociológicas (CIS) en el año 2005, la mayoría de los españoles trabaja en el sector terciario: profesionales liberales, personal de servicios y de administración. La jornada de trabajo suele ser partida, de mañana y tarde. Se suele trabajar una media de 38 horas semanales, aunque las jornadas de trabajo se prolongan con frecuencia.

COMUNICACIÓN

Aconsejar

Consejos personales

- *Tienes que estar tranquilo.*
- *Debes decir siempre la verdad.*
- *Apaga tu teléfono móvil.*

Consejos impersonales

- *Hay que cuidar la apariencia.*
- *Lo mejor es saludar al entrevistador con un apretón de manos.*

Pedir y dar información sobre experiencias y actividades relacionadas con la formación y el trabajo

- *¿Tiene usted estudios universitarios?*
- *Sí, soy licenciada en Ciencias de la Información.*

- *¿Ha tenido que hablar en público alguna vez?*
- *Sí, en mi anterior puesto de trabajo tenía que hacer presentaciones.*

- *Hábleme de usted cuando era niña.*
- *Yo era una niña feliz. Vivía en Alicante y …*

Expresar esperanza

- *Espero que sí.*
- *Espero que no.*

VOCABULARIO

Anuncios de trabajo

Incorporación inmediata, disponibilidad para viajar, trabajar en equipo…

Lugares de trabajo

Empresa, tienda, hospital, fábrica, bufete, estudio…

Educación y formación

Certificado escolar, Educación Secundaria Obligatoria, Bachillerato…

GRAMÁTICA

Lo mejor es + sustantivo/infinitivo

- *Lo mejor es enviar un mensaje de correo electrónico para agradecer la entrevista.*

Perífrasis verbales

Consejo personal: *tener que* + infinitivo; *deber* + infinitivo

- *Tienes que vestir de manera sencilla y elegante.*
- *Debes decir siempre la verdad.*

Consejo impersonal: *hay que* + infinitivo

- *Hay que ser puntual.*

Posición, combinación y orden de los pronombres personales átonos

Los pronombres personales átonos (*me, te, le, se, nos, os, les; lo, la, los, las*) pueden ir antes o después del verbo al que acompañan:

– Con las formas de indicativo van antes del verbo, como palabras independientes.

– Con las formas de imperativo afirmativo van después del verbo, unidos con él en una sola palabra.

– En las perífrasis verbales pueden ir antes del verbo conjugado, como palabras independientes, o después del infinitivo o gerundio, unidos con él en una sola palabra.

Cuando los pronombres de objeto indirecto *le, les* se combinan con los pronombres de objeto directo (*lo, la, los, las*) se convierten en *se*:
Le lo dije → Se lo dije.

Cuando utilizamos dos pronombres átonos, primero va el de objeto indirecto (*me, te, se, nos, os*) y a continuación el de objeto directo (*lo, la, los, las*).

La formación de los adverbios terminados en -*mente*

Para formar adverbios a partir de adjetivos añadimos la terminación -*mente* a la forma femenina del adjetivo:
lento → lenta + -mente = lentamente.

Los pronombres personales *usted* y *ustedes*

Los pronombres personales *usted* y *ustedes* aparecen muchas veces como recurso para marcar explícitamente el tratamiento:
- *¿Está usted estudiando otras ofertas de trabajo?/ ¿Está estudiando otras ofertas de trabajo?*

Uso de los pasados (pretérito perfecto, pretérito indefinido y pretérito imperfecto)

Cuando hablamos de experiencias pasadas alternamos el uso de los diferentes pasados, según el momento al que nos referimos:
- *¿Ha asistido a algún curso últimamente?*
- *¿Por qué eligió esta profesión?*
- *Hábleme de usted cuando era niña.*

Presentación

Vais a repasar lo aprendido durante este curso a través de una serie de juegos.

Vais a necesitar:

- Vuestro libro
- Los apuntes de clase

Instrucciones

1. Se forman grupos de tres o cuatro personas.

2. Cada grupo realiza los juegos. Hacedlos en el orden que queráis, pero debéis hacerlos todos.

3. Presentad los resultados de vuestros juegos al resto de la clase y decidid qué equipo los ha realizado mejor.

Antes de empezar

Observad estos juegos y decid qué vamos a repasar con cada uno de ellos.
Relacionad cada juego con su objetivo principal.

Rincón de la memoria ■	■ Recordar algunos puntos gramaticales
Rincón de escritura ■	■ Recordar vocabulario
Rincón de lectura ■	■ Comunicarnos en diferentes situaciones
Rincón de los sonidos: karaoke ■	■ Leer textos en español
Rincón del teatro ■	■ Escribir en español
Rincón de las reglas ■	■ Reflexionar sobre el aprendizaje de lenguas
Rincón de cultura ■	■ Practicar la pronunciación
Rincón de poesía creativa ■	■ Recordar algunos aspectos culturales y socioculturales

Rincón de las reglas

Algunas de estas oraciones contienen un error gramatical. Señálalas y corrígelas.

Me encanta bailando. ☒
Me encanta bailar.

- ¿Quién compra la comida para la fiesta?
- Ya la he comprado yo. ☑

Ayer he comido paella. ☒
Ayer comí paella.

Rincón de la memoria

1. Parte del cuerpo que usamos para hablar y comer.

Rincón de cultura
Gastronomía

¿Cuál es la dieta típica española?
☐ La dieta cárnica.
☐ La dieta vegetariana.
☐ La dieta mediterránea.
☐ La dieta de la alcachofa.

Rincón de escritura

Cuando era pequeño...

Rincón de poesía creativa

Aprender español es tan divertido como viajar, tan estimulante como empezar una nueva vida y tan difícil como cuidar una buena amistad.

Rincón de lectura

El pintor y escultor colombiano Fernando Botero es, sin duda, un artista mundialmente reconocido. Botero nació en Medellín en 1932 y, aunque ha vivido y trabajado en numerosos países, como México, España, Francia o Italia, siempre ha mantenido un gran vínculo sentimental con su ciudad natal. Prueba de ello es la donación que hizo al Museo de Antioquia, con la que Botero quiso convertir a Medellín en un importante centro artístico y cultural.

Rincón de los sonidos
Karaoke

Es el agua, es el viento.
Es resumen de todo lo que siento.
Es la arena, es el sentimiento.
Es la tinta que no borra ni el silencio...

Rincón del teatro
En el restaurante

- Buenas tardes, ¿qué desean?
- Hola, buenas tardes. Queríamos una mesa para dos, por favor.
- Muy bien. Pasen, por favor.
- Muchas gracias.
- ¿Ya saben qué van a tomar?

1. Rincón de la memoria

Completad el siguiente crucigrama.

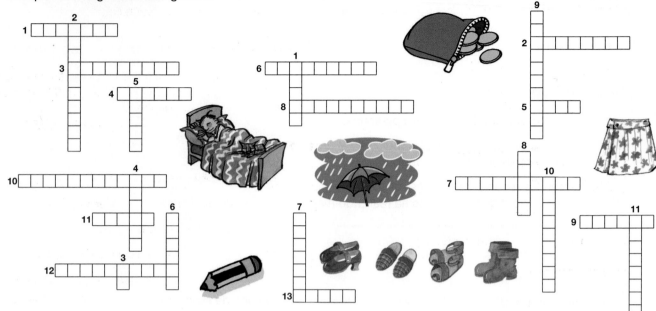

Horizontales

1. Otro hijo de tus padres.
2. Sinónimo de feliz, masculino.
3. Tienda donde compramos zapatos.
4. Persona de Polonia, femenino.
5. El día anterior a hoy.
6. Establecimiento donde podemos tomar un café.
7. Actividad deportiva que consiste en caminar por el campo o la montaña.
8. Habitación de la casa donde hay una o varias camas.
9. Lo decimos cuando contestamos al teléfono.
10. Electrodoméstico que sirve para lavar los platos.
11. Uno de los ingredientes de la tortilla de patatas.
12. Número superior a dieciséis e inferior a dieciocho.
13. Instrumento para escribir o dibujar.

Verticales

1. Prenda de vestir para mujeres, puede ser corta o larga.
2. Infusión que tomas normalmente cuando te duele el estómago.
3. Abreviatura de Señor.
4. Agua que cae del cielo.
5. Estación del año entre el verano y el invierno.
6. Lo contrario de comprar.
7. Se dice de la persona que llega a un sitio a la hora prometida.
8. Dejar de vivir.
9. Persona que tiene un titulo universitario, masculino.
10. Sinónimo de amable, masculino.
11. Bolsa o cartera que sirve para guardar el dinero.

2. Rincón de cultura

Leed las siguientes preguntas y seleccionad la respuesta correcta en cada caso.

Educación

¿Hasta qué edad es obligatoria la educación en España?

☐ Hasta los 18 años.
☐ Hasta los 16 años.
☐ Hasta los 15 años.
☐ Hasta los 14 años.

Arte

¿Quién es Fernando Botero?

☐ Un pintor español.
☐ Un cineasta mexicano.
☐ Un pintor y escultor colombiano.
☐ Un actor argentino.

Sociedad

¿Cuántos apellidos suelen utilizar los españoles?

☐ Uno solo, el del padre.
☐ Dos, el del padre y el de la madre.
☐ Uno solo, el de la madre.
☐ Dos, primero el de la madre y después el del padre.

Historia

¿En qué año se aprobó la Constitución democrática española?

☐ En 1975.
☐ En 1939.
☐ En 1978.
☐ En 1982.

3. Rincón de escritura

Imaginad que un amigo os pide que le contéis qué habéis hecho durante este curso, qué habéis aprendido, cómo os lo habéis pasado, cómo era el profesor, etc. Escribidle un mensaje de correo electrónico.

4. Rincón de lectura

Leed de nuevo este poema de Pablo Neruda y haced un dibujo que lo represente.

> **LA REINA**
> Yo te he nombrado reina.
> Hay más altas que tú, más altas.
> Hay más puras que tú, más puras.
> Hay más bellas que tú, hay más bellas.
> Pero tú eres la reina.
>
> Cuando vas por las calles
> nadie te reconoce.
> Nadie ve tu corona de cristal, nadie mira
> la alfombra de oro rojo que pisas donde pasas
> la alfombra que no existe.
>
> Y cuando asomas
> suenan todos los ríos
> en mi cuerpo, sacuden
> el cielo las campanas,
> y un himno llena el mundo.
>
> Sólo tú y yo,
> sólo tú y yo, amor mío,
> lo escuchamos.
>
> NERUDA, P., *Veinte poemas de amor y una canción desesperada*

5. Rincón del teatro

Escribid el diálogo de una situación de las que habéis visto durante el curso. Si os atrevéis, podéis interpretarlo como una obra de teatro.

Sugerencias

- De compras: en un centro comercial
- Con amigos: hablando de vuestras familias
- De cena: en un restaurante o en un bar
- Al teléfono: haciendo planes para el fin de semana
- Con amigos: hablando de alguna época de vuestra vida (infancia, adolescencia o juventud) o contando experiencias de vuestra vida (viajes, cambios en vuestra vida, etc.)

6. Rincón de las reglas

Algunas de estas oraciones contienen un error gramatical. Señálalas y corrígelas.

El español se hablan en muchos países.	Elena es abogada.	¿Qué hora es? / Es las dos menos diez.	Lo mejor en una entrevista de trabajo es diciendo la verdad.
¿Qué lenguas hablas? / Conozco hablar árabe y un poco de español.	Me llamo María, soy española y tengo veinticuatro años.	El parque está enfrente del museo.	¿Qué lámpara te gusta más, esta o esa? / Esta, es más moderna.
¿Quién es este? / Mi primo Jorge. / ¿Y ese? / Ese es un otro primo mío que vive en Valencia.	Si estás nerviosa, no debes tomar más café.	¿Quién compra la comida mañana? / La compro yo.	Buenos días. ¿Qué desea? / Buenos días. Quise ver unas copas y un juego de platos.
Me gusta bailando en mi tiempo libre.	Si te duele la cabeza, debes descansar en una habitación sin luz.	En mi ciudad hay ningún museo, pero hay bastantes instalaciones deportivas.	¿Por qué no quieres ir el domingo a comprar? / Porque prefiero ir jugar un partido de tenis.
Soy contenta porque voy a vivir en otra ciudad y voy a conocer a mucha gente.	Cuando era pequeña me encantó jugar con las muñecas.	En esta época del año empieza nevar y la sierra de Madrid está muy bonita.	Me gusta mucho montar en bicicleta. / Yo también.
Yo ya he abierto una cuenta en el banco. / Pues yo todavía no lo he abierto.	Sra. López le presento M.ª José Martínez. M.ª José, esta es la Señora López. / Encantada. / Mucho gusto.	¿Son tuyas estas llaves? / No, no son mías. Creo que son de Richard.	¿Has probado alguna vez la tortilla de patatas? / No, no la he probado nunca.

7. Rincón de los sonidos: karaoke

 Leed el fragmento de la letra de la canción. Escuchadla y prestad atención a la pronunciación. ¿Os atrevéis a cantarla como en un karaoke?

Magia

Es el agua, es el viento.
Es resumen de todo lo que siento.
Es la arena, es el sentimiento.
Es la tinta que no borra ni el silencio.
Es el aire de puntillas.
Es la calma cogiendo carrerilla.
Es el sabor de lo pequeño.
Es tocar un sueño.
Es el mapa de un suspiro.
Es lo que hay cuando te miro.
Es el duende del latido de tu corazón.

Magia es probar a volcar lo que hay en el fondo de ti.
Magia es verte sonreír.
Magia es probar a saltar sin mirar.
Es caer y volver a empezar.

Álbum: *Magia.* Letra y Música: Rosana Arbelo
(http://www.rosana.net/)

8. Rincón de poesía creativa

a. ¿Qué es aprender español para vosotros? Rodead con un círculo los adjetivos que mejor lo definan. Podéis añadir a esta lista todos los adjetivos que queráis.

Difícil
Necesario
Aburrido
Divertido
Importante
Útil
Fácil
Innecesario
Complicado

b. Con los adjetivos que habéis seleccionado, buscad cosas que sean así en la vida, fijaos en el modelo y escribid un poema.

¿Qué es necesario en la vida? ¿Qué es útil en la vida? ¿Qué cosas son complicadas en la vida?

Lo más necesario en la vida es: el amor, el aire, el dinero, un buen amigo, la comida…	Lo más fácil en la vida es: caminar, montar en bicicleta, cantar…	Lo más útil en la vida es: el dinero, Internet, la electricidad…	Aprender español es tan necesario como un buen amigo, tan fácil como montar en bicicleta, tan útil como el dinero.

9. El concurso

Presentad vuestros juegos al resto de la clase y decidid:

- En el rincón de escritura, ¿cuál es el mejor mensaje, el que está mejor escrito y cuenta mas cosas sobre el curso?
- En el rincón de sonidos, ¿qué equipo ha cantado mejor?
- En el rincón de poesía creativa, ¿cuál es la poesía más bonita?
- En el rincón de las reglas, ¿qué equipo ha descubierto más errores?
- En el rincón de lectura, ¿qué equipo ha hecho el dibujo más bonito?
- En el rincón de la memoria, ¿qué equipo ha completado más palabras?
- En el rincón del teatro, ¿qué equipo ha escrito el diálogo más adecuado a la situación?
- En el rincón de cultura, ¿qué equipo ha acertado más preguntas?